– EX-LIBRIS –

ROBERTO
ZEBALLOS

**Desejo,
logo
realizo**

Copyright © 2010 by Roberto Zeballos
Copyright © 2010 das imagens by Antonio Peticov

Editado conforme o novo Acordo Ortográfico da Língua Portuguesa

Editora
Renata Farhat Borges

Editora adjunta
Luciana Tonelli

Editora assistente
Lilian Scutti

Produção editorial e gráfica
Carla Arbex

Preparação
Luiz Carlos Cardoso

Revisão
Jonathan Busato

Projeto gráfico e
editoração eletrônica
DDT
Helena Salgado e
Henrique Theo Möller

*[Os nomes e alguns detalhes dos casos clínicos aqui descritos foram modificados pelo autor. A essência de cada caso foi preservada.]*

---

Dados Internacionais de Catalogação na Publicação (CIP)
(Câmara Brasileira do Livro, SP, Brasil)

Zeballos, Roberto
 Desejo, logo realizo: a saúde plena depende de nós / Roberto Zeballos; ilustrações A. Peticov. – São Paulo: Peirópolis, 2010.

 ISBN 978-85-7596-191-9

 1. Autoconhecimento 2. Conduta de vida 3. Felicidade 4. Otimismo 5. Saúde - Aspectos psicológicos I. Peticov, A.. II. Título.

10-11463 CDD-158.1

Índices para catálogo sistemático:
1. Mudanças : Vida pessoal : Psicologia aplicada
 158.1
2. Transformação pessoal : Psicologia aplicada
 158.1

---

1ª edição, 2010 — 7ª reimpressão, 2024

Editora Peirópolis Ltda.
Rua Girassol, 310F - Vila Madalena
05433-000 - São Paulo - SP - Brasil
vendas@editorapeiropolis.com.br
www.editorapeiropolis.com.br

**Dr. Roberto Zeballos**

Imagens Antonio Peticov

# Desejo, logo realizo

A saúde plena
depende de nós

Editora
Peirópolis

*Agradeço a meus pais, a meus pacientes, à medicina e principalmente à minha mulher Bel e a meus filhos Marcos, Luiza e Ricardo, por fazerem minha existência valer a pena.*

*Realidade e fantasia habitam o íntimo do mesmo ser; o que varia é o estado de espírito e a maneira de observar o universo. Todos os seres podem ser felizes: basta apenas mudar para o universo paralelo que lhes convém.*

*Roberto S. Zeballos, 2002*

# Prefácio
## por Naum Alves de Souza

QUANDO O ENCONTREI pela primeira vez, chamei-o respeitosamente "dr. Roberto". Sentei-me diante da mesa de vidro e, enquanto ele atendia ao telefone, olhei a sala, os discretos móveis e aparelhos, os copos de água mineral sobre uma bandeja, o computador moderno e, atrás dele, uma estante com alguns livros, porta-retratos e uma pequena bola de futebol autografada pelo Pelé. Ao lado, na parede, uma grande reprodução de uma paisagem do Peticov. Do outro lado, janelões que dão para um pátio arborizado. Atrás de mim, uma maca, alguns aparelhos básicos da profissão.

Do ponto de vista material, o essencial.

Eu estava apavorado por conta do fantasma de uma doença que afligia e ainda aflige todo mundo. Por isso procurei um médico. Sou daqueles que fogem de médicos, que preferem comer uma maçã por dia para manter o médico a distância. *An apple a day keeps the doctor away.* Faço coisas piores – como a automedicação –, tenho gavetas cheias de remédios e pomadas com datas há muito vencidas.

Roberto Zeballos me conquistou com o primeiro sorriso, com o brilho daqueles fortes olhos negros. Não foram os diplomas e os títulos que me impressionaram. Foi algo diferente, sem forma nem cor, indefinível. Não percebi que a tensão tinha ido embora e estávamos falando de assuntos sérios objetivamente, sem terror. Nenhum misticismo aparente, mas eu me senti diferente, confiante.

Roberto Zeballos me recebe de braços abertos, me aperta com forte abraço e sinto que uma energia me envolve. Fala com paixão sobre a vida, o significado de estarmos aqui, examina meu corpo e está atento ao que ocorre na mente. Meu espírito, muitas vezes, é por ele levantado, lavado, passado, engomado, perfumado.

Uma passagem neste livro, entre outras, me comove. É a respeito de uma paciente terminal que Roberto havia assistido nos últimos meses de sua vida. Minutos após a sua morte, ele recebeu uma mensagem no celular:

"A Vovó se foi e foi lindo....!!!"

Cito o livro: "... parece que consegui passar a ideia de vida eterna e de viver cada dia como se fosse o último. Nos meses que antecederam sua morte, ela fez tudo, mandou fotos dela se divertindo, dançando. Ela aproveitou cada segundo dos seus últimos momentos. Ela teve uma passagem tranquila sem sofrimento... pois estava consciente da eternidade".

*São Paulo, 30 de outubro de 2010*

# Sumário

| | | |
|---|---|---|
| I | Introdução | 17 |
| II | Primeira experiência com o fantástico | 21 |
| III | Como tudo começou | 27 |
| IV | A preservação da espécie determina valores | 33 |
| V | Mágica? Não, apenas o universo ao seu dispor... | 41 |
| VI | O sistema energético: decisivo na vida e na saúde | 47 |
| VII | Fatos para os céticos | 55 |
| VIII | O poder do pensamento coletivo | 63 |
| IX | Evite a mesmice! | 69 |
| X | A ilusão da fonte da juventude, o apelo dos rituais, do desejo, da motivação. E a força do crer... | 77 |
| XI | Envelhecimento e vida eterna | 85 |
| XII | Motivação: a força motriz da alma | 101 |
| XIII | O poder da visualização | 107 |
| XIV | Pratique e constate | 111 |
| XV | A conscientização de que nós podemos | 117 |
| | Palavras do artista por Antonio Peticov | 119 |

# Introdução

Sou médico, hoje com cinquenta anos bem vividos, e adoro minha rotina no consultório e no hospital. A vida inteira, em todos os locais que frequentei, sempre diziam de mim que sou "sortudo". Admito que ao longo da trajetória pessoal e profissional tenho tido muita sorte, ou seja, tenho "me dado bem", segundo meus colegas.

No começo dos meus trinta anos parei para pensar e constatei que todas as metas desejadas eram alcançadas com coincidências incríveis. Olhei para trás e percebi que desde criança alcançava os meus desejos. Comecei então a buscar o porquê disso tudo. Foi quando, após os primeiros meses de consultório, percebi que podia ajudar as pessoas com "algo mais" além da medicina tradicional. Esse "algo" estava baseado em carinho, atenção, otimismo e se aplicava a qualquer pessoa. Foi muito interessante...

Decidi então escrever este livro, com a finalidade de simplificar a vida do ser humano cheio de angústias e emoções. Isso foi em 1994; eu tinha apenas 34 anos e havia acabado de retornar ao Brasil. Já tinha as ideias e a percepção de que conseguia tudo aquilo que desejava, mas bateu-me um certo receio de colocar minha experiência individual em livro. Afinal, eu não havia ainda conquistado meu espaço, e um livro com proposições não convencionais poderia gerar reações indesejadas de médicos mais céticos, experientes e conservadores. E polêmica era a última coisa de que precisava na minha carreira que acabara de nascer.

Os anos foram passando e vivi experiências notáveis que reforçaram minhas ideias e enriqueceram o conteúdo do livro, em permanente cogitação.

Conheci pessoas interessantíssimas de todas as camadas sociais, culturais e econômicas. Entre elas o meu paciente e amigo Antonio Peticov, que se ofereceu para ilustrar a capa do livro assim que este deixou de ser cogitação e começou a concretizar-se. Sempre me identifiquei com a obra de Peticov, grande artista brasileiro, antes mesmo de conhecê-lo. Portanto, não somente aceitei sua oferta como o convidei a ilustrar os capítulos com seus quadros fantásticos. Foi curioso o processo de identificação do seu trabalho de anos com o conteúdo deste livro...

Um belo dia, almoçando com outro grande amigo, Fábio, relatei-lhe as experiências de materialização dos meus desejos. E ouvi este comentário: "Sabe esse livro que você vai escrever? Ele já saiu em DVD". No dia seguinte mandou-me o filme, intitulado *Quem somos nós?*.

Esse filme era o que me faltava para começar a escrever. Estava tudo ali, todas as explicações respaldadas pela física quântica. Melhor, as pessoas que explicavam as materializações eram professores, cientistas e pesquisadores respeitados das melhores universidades do mundo. Isso garantiu a credibilidade das minhas ideias, na medida em que demonstrava não ser eu o único a levar a sério a materialização. Vi que estava muito bem acompanhado.

Comecei a escrever e não parei mais.

# Primeira experiência com o fantástico

TINHA DEZ ANOS, morava no Rio de Janeiro, meus pais estudavam muito o ocultismo e a ioga. Falavam sobre telepatia, e que seu guru era capaz de ler um livro fechado com precisão indiscutível. Falavam sobre desdobramento, que, segundo eles, representava as experiências da consciência fora do corpo físico. Apenas ouvia tudo aquilo sem aceitar ou rejeitar, pois não era exatamente o que se aprendia na escola.

Por incrível que pareça, aos dez anos aquilo não me impressionava. Achava apenas interessante. Estava voltado para o futebol, após a Copa de 1970, a minha vidinha na praia do Leblon e as minhas voltas de bicicleta com os pivetes da cruzada (condômino popular que existia perto dali) e meus vizinhos do luxuoso edifício Ceppas. Sempre tratei todos com carinho e amizade, de igual para igual, inclusive os mais pobres. Coincidência ou não, as únicas bicicletas que não eram roubadas do nosso prédio eram a minha e a do meu irmão.

Porém, certa manhã, ao acordar, algo incrível aconteceu. Como todas as manhãs, acordei, ou pelo menos achei que estivesse acordado, e não conseguia me movimentar, nem falar, muito menos gritar. De repente observei que estava ligeiramente acima do meu próprio corpo. Ou seja, era como se o corpo fosse algo meu, mas que naquelas circunstâncias eu não o estivesse usando. Fiquei um pouco ansioso, mas logo me acalmei e desejei acordar normalmente como todas as manhãs. Em frações de segundo, enxerguei um redemoinho amarelo-claro em movimento, senti como se estivesse me encaixando, entrando no meu próprio corpo, e acordei normalmente.

Alguns podem pensar que isso tenha sido um sonho, mas, curiosamente, a partir dessa experiência tive a sensação de que a consciência pode existir independente do corpo. A sensação da imortalidade.

Os anos foram passando e vivi experiências similares, mas mais intensas, como a de me deslocar para outros ambientes da casa. Tais experiências cresceram e ficaram mais longas e duradouras, a ponto de perceber o programa de Silvio Santos na sala enquanto meu corpo físico estava deitado no meu quarto. No começo era cauteloso e tinha receio de deslocamentos mais longos. Era interessante sentir a possibilidade de mentalmente ir à Lua ou à casa da vizinha.

Discuti tais experiências com o professor doutor Nelson Figueiredo Mendes, uma das mentes mais brilhantes do final do século XX. Ele só não ganhou o Prêmio Nobel por pura injustiça. Foi o primeiro a demonstrar as subpopulações de linfócitos (subtipos de glóbulos brancos), feito científico que é um marco no campo da imunologia e da medicina. Só para se ter uma ideia do que isso representou, o desenvolvimento para os transplantes seria impossível sem esse conhecimento.

Nelson Mendes deu uma explicação menos fantasiosa para as minhas experiências. A seu ver, o cérebro humano é capaz de fazer uma projeção do corpo em três dimensões. Sugeriu que o que ocorre é apenas a percepção do corpo obtida pela mente. No entanto, ele mesmo, antes ou depois de bem explicar a teoria, nos contava suas experiências de "voar" pelos ambientes.

Em determinado momento da minha vida, parei para pensar e tirei a conclusão seguinte:

Se nós ganhamos um corpo com sensores para energia luminosa (visão), energia sonora (audição), energia química (olfato e gustação), energia cinética (tato) e energia eletromagnética (glândula pineal, fato ainda não provado), por que deveríamos esquecê-lo, desperdiçá-lo em viagens extracorpóreas? Ou seja, passei a ver o corpo das pessoas como um veículo dotado do propósito de nos proporcionar as grandes experiências em sua existência. Não fazia sentido ficar buscando experiências fora dele.

Essa conclusão ficou mais clara para mim em 1981, logo na primeira aula de anatomia a que assisti. Foi extremamente interessante e impactante saber que somos verdadeiras máquinas com cabos ligados a músculos e ossos. Assim como ver que nossos órgãos vitais filtram, distribuem o sangue pelo organismo e o mantêm em equilíbrio dinâmico. Lembro-me de ter comparado o corpo humano com um traje espacial, como uma sonda a explorar o planeta Terra. Senti que nosso propósito no mundo é viver intensamente, utilizar o corpo com as mais variadas experiências, desenvolvendo a mente criativa, sentindo o cheiro do mar, tendo a visão dos Alpes nevados, conhecendo os prazeres do sexo e muito mais. Percebi a importância de cuidar dessa ferramenta fantástica, nosso corpo; ele leva as mais diversas experiências para a consciência que o habita.

Quando digo ferramenta, refiro-me à oportunidade que o corpo oferece de sentirmos um perfume, apreciarmos uma paisagem, praticarmos um esporte. O corpo nos dá o poder de criar solução para as mais diversas situações. Isso sem falar nas alegrias da boa culinária, do sexo ou de marcar um golaço. Todas essas experiências automaticamente entram não apenas na nossa consciência, mas no todo, no chamado inconsciente coletivo, como ainda veremos. Senti paz quando conscientemente fiquei fora do corpo; já as experiências mais intensas e desejáveis da vida, eu as senti na comunhão de consciência e corpo.

Não digo que as experiências extracorpóreas foram inúteis, pois, como contei, deram-me a sensação da consciência independente do corpo. A consciência da vida eterna... E, como veremos também, isso foi de grande utilidade para lidar com os pacientes terminais, na minha carreira que estava por nascer.

Tal utilidade ficou clara com o caso de uma paciente terminal que assisti nos últimos meses de sua vida. Um dia recebi no celular, minutos após a sua morte, os seguintes dizeres: "A vovó se foi, e foi lindo.......!!!!!" Em outras palavras, parece que consegui passar-lhe e à sua família a ideia de vida eterna e de viver cada dia como se fosse o último.

Nos meses que antecederam sua morte, ela fez de tudo, mandou fotos se divertindo, dançando!!! Aproveitou cada segundo dos seus últimos momentos. Teve uma passagem tranquila, sem sofrimento. Estava consciente da eternidade.

# III

# Como tudo começou

EM 1985, EU COM 25 ANOS e estudante do quinto ano da Escola Paulista de Medicina, era assistente do professor doutor Antonio Carlos Lopes, um dos clínicos mais brilhantes do nosso tempo, um verdadeiro mestre, que me apresentou a clínica médica, a medicina autêntica. Eu o acompanhava diariamente na avaliação dos mais variados casos clínicos no Hospital Israelita Albert Einstein.

Um desses casos em evidência na ocasião era o de Fernanda, jovem gestante que, tendo contraído uma pneumonia fulminante, sofreu insuficiência respiratória gravíssima. Mantinha-se à custa de aparelho que enviava oxigênio puro aos seus pulmões. O oxigênio puro a princípio é útil, mas, se utilizado por muito tempo, leva à degeneração dos alvéolos (responsáveis pela oxigenação sanguínea) tornando a vida inviável. Era fundamental abaixar a concentração do respirador para 40% de oxigênio, na tentativa de preservar os alvéolos. Uma situação muito difícil, em que bastavam alguns segundos de exposição ao ar ambiente para que a cor rosada da paciente passasse a uma cianose severa (roxo bem escuro). Queríamos baixar a concentração de 100% de oxigênio para 90% ou para 80%, mas o desconforto com a falta de ar era intenso e angustiante.

A faculdade estava em greve e eu passava horas na UTI com Fernanda, tentando baixar lentamente a concentração infundida de oxigênio. Em determinado momento ouvi, de um competente e experiente plantonista: "Você está tratando um cadáver". Eu já havia assumido o desafio de dar o máximo de mim para curá-la, a todo custo.

Depois desse comentário, em vez de aceitar as estatísticas médicas e desistir, entrei com a energia vital da parte mais profunda do meu ser, da minha alma. Disse *não* à medicina cética que o experiente colega representava e decidi dedicar-me mais ainda à cura de Fernanda.

Ela era mãe de um menino de dois anos e esperava o segundo filho. Nesse momento, peguei na mão da paciente e alimentei-a de pensamentos positivos. Juntos, nós a imaginamos já curada, cuidando dos filhos, da família. Visualizamos sua importância no futuro do filho. Coisas simples, como levá-lo à escola, ajudá-lo na lição de casa. O mais interessante e bonito é que nessas conversas, verdadeiros exercícios mentais imaginários, Fernanda necessitava de menos oxigênio, sua pressão arterial e frequência cardíaca alcançavam medidas equilibradas. Muitas vezes, ela, em crise de ansiedade, demonstrava falta de senso e orientação. O simples fato de pegar-lhe na mão, de sussurrar-lhe palavras de otimismo, a acalmava. Fazia com que se tranquilizasse. Passados alguns dias, com tratamento médico adequado, competente e moderno, a paciente teve alta da UTI.

A pergunta que fica é: por que a grande maioria dos casos similares ao de Fernanda, apesar de toda a tecnologia e competência médica, tem o destino trágico que o plantonista previu? Qual foi o principal fator na sua cura? Ou como, para quem a chamava de cadáver, ocorreu tamanho milagre? Como ela venceu as estatísticas?

Senti então que o "milagre" foi consequência de motivá-la a optar pela vida. Ou seja, foi escolha dela, obviamente inspirada pelo filho pequeno que a esperava e pelo filho a nascer. O que fiz foi lembrá-la de que não estava morta e de que tinha um filho lhe esperando.

A partir desse episódio tomei consciência do poder de cura que todos temos. E de que as palavras do médico são fundamentais na evolução de todo caso a ele apresentado. A palavra confiante, com base em experiência e conhecimento, mas sempre otimista, é essencial na cura, faz a diferença entre o sucesso e o insucesso das condições e situações mais críticas. Entendi a responsabilidade das palavras de um médico para um doente que o olha como último fio de esperança. Tomei consciência de que podemos estimular o poder de cura existente em cada um dos pacientes; basta apenas passar segurança profissional com otimismo. Acredito que isto gera o crer e a fé, essenciais e necessários para a materialização de qualquer desejo, inclusive o da cura. O médico confiante gera a crença de que a cura é possível, com a consequente materialização. Os medicamentos e o tratamento competente são também fundamentais, mas não suficientes em casos como o de Fernanda. Por isso é fundamental motivar o paciente a viver a vida sempre.

Pode-se assim avaliar o peso que a participação do médico assume na corrente solidária com o paciente, maior do que em qualquer outra situação humana imaginável. Isso implica uma grande responsabilidade para o médico, mas significa também um esplêndido poder de cura de que ele dispõe e não deve perder. Cabe-lhe valer-se disso em cada um dos seus pacientes.

Enfim, tomei consciência de que, se nós todos (refiro-me a todos nós, e não apenas aos médicos) temos a capacidade de gerar doenças nas mais diversas situações, somos também capazes de curá-las. O maravilhoso é que o campo da escolha não se limita à saúde, mas estende-se às experiências que queremos viver. Inclui a escolha de ser feliz ou de ser vítima. O que nos limita são nossos valores e nossas inseguranças, como mostrarei neste livro.

IV

# A preservação da espécie determina valores

VÁRIAS VEZES NOS PEGAMOS definindo o que é certo ou o que é errado. Nunca paramos para pensar que o conceito de certo e errado varia de acordo com a cultura, a época, as circunstâncias do momento. Portanto, não existe certo ou errado, bem ou mal, mas sim condutas dependentes do instante e do ambiente em que vivemos.

A pergunta a fazer é, então: nas diferentes épocas, culturas e ambientes, o que determina o estabelecimento de valores? O que define o certo e o errado? Concluí que o único fator constante dentre todas as variantes mencionadas é a preservação da espécie.

Seguem aqui alguns exemplos interessantes que dão base a essa tese. Quando éramos nômades ou morávamos em cavernas, o que garantia a nossa sobrevivência era a capacidade para caçar e proteger a prole. Nessa época, o fator principal era a testosterona. Esse hormônio garantia a força para caçar e a proteção que valoriza o macho. A mulher era uma reprodutora que na ovulação tinha mais de trinta relacionamentos sexuais por dia. A forma anatômica peniana, similar à de um guarda-chuva, serve no coito para remover o sêmen do macho anterior, deixando o da última relação. Ou seja, após inúmeras relações, o espermatozoide mais duradouro, ágil e resistente prevalece. Como sabemos, a testosterona está diretamente associada à produção do espermatozoide, à agressividade e à massa muscular (essencial para a caça e proteção). Nessa época não existia a questão da fidelidade nem a do incesto. O que prevalecia era a procriação por meio de mães férteis e de machos com altos níveis de testosterona. Será certo a mulher ter mais de dez parceiros por dia? Como vimos, isso depende das circunstâncias, da cultura, dos costumes e de tudo aquilo que garante a preservação da espécie.

Com o estabelecimento da propriedade surgiu e ganhou importância a fidelidade feminina, pois a terra passava de pai para filho. Portanto, a partir desse momento, a hereditariedade criou a fidelidade.

Tendo em vista garantir a propriedade das famílias, ocorreram os casamentos consanguíneos. Isso gerou o conhecimento de diversas doenças genéticas, a respeito das quais é famoso o caso da hemofilia de Henrique VIII. A pouca variabilidade genética se tornou uma ameaça para a espécie. Surgiu um novo valor proibido, o incesto. Ainda no século passado algumas culturas do Taiti praticavam o incesto sem nenhuma restrição ou culpa, mas a colonização de instituições religiosas acabou com essa prática. Portanto, o que gera tais valores é a preservação da espécie.

Na Idade Média, o senhor feudal, que oferecia toda a proteção ao vassalo, tinha o direito de desfrutar da mulher deste na primeira noite de casamento. E o vassalo ficava triste e preocupado quando o poderoso senhor abria mão do seu direito. Isso estava certo ou estava errado? Nas circunstâncias do momento, estava certo.

Será certo desprezar e jogar deficientes físicos recém-nascidos do alto de um barranco? Em Esparta, na Grécia antiga, sim, era certo. Aquela sociedade estava totalmente voltada para a guerra, necessitava de corpos sadios, e dispensava o corpo que causava embaraços a quem com ele convivia. Nessa sociedade era inaceitável qualquer tipo de deficiência. Não havia maldade em rejeitar o deficiente, e sim urgência em livrar-se dele. A mãe espartana não sentia a culpa da rejeição; aprendera isto: "Os deuses não querem que meu filho seja um espartano". E ponto.

Também na Idade Média, tempo de pestes devido ao precário saneamento básico, a lei era "crescei e multiplicai-vos". A promiscuidade gerava doenças que ameaçavam a espécie humana, e por isso era condenada. A fidelidade favorecia a procriação, e por isso era reforçada. A homossexualidade impedia a multiplicação, e por isso os seus praticantes iam para a fogueira. Hoje, num mundo superpopuloso, há regiões que incentivam a união homossexual, e estimulam para ela a adoção de crianças. Interessante, não?

Não precisamos ir tão longe para entender onde quero chegar. Quem não se lembra da virgindade e do desquite? Por que a virgindade era importante no século XX? A explicação é simples. A cultura desse século se baseava em passar conhecimento e valores para as gerações futuras, com uma referência masculina paterna e outra referência feminina materna. Se a mulher tivesse um comportamento "masculino", engravidaria gerando uma quantidade indesejada de filhos sem a referência masculina. Isso ameaçaria a educação das gerações futuras, a estrutura familiar, base da sociedade na época.

O que mudou no final do século XX e prevalece até hoje? A invenção de uma pílula, isso é que fez a mudança. A pílula anticoncepcional. Esse avanço tecnológico garantiu a programação da gravidez. A mulher ganhou a liberdade sexual sem o risco da gravidez indesejada. Garantiu também o desenvolvimento profissional, pois com a pílula poderia escolher quando engravidar. Surgiu a mulher executiva, a senadora, a empresária, a primeira--ministra e a presidente da República. No mundo de hoje, a força do macho não tem mais utilidade: não é preciso caçar para sobreviver. O que pesa hoje é a criatividade, e a sensibilidade feminina cai muito bem na solução dos mais diversos problemas.

O que quero dizer é que os valores variam com avanços tecnológicos, tendências sociais e culturais. A única constante é garantir a preservação da espécie.

Portanto, não existe certo ou errado; o que existe é o sentir-se bem vivendo determinada experiência ou o não se sentir bem. O que isso, leitora ou leitor, tem a ver com o seu estado de espírito? Com a sua saúde? Tem tudo a ver! Temos em nós valores adquiridos com o tempo, com a educação recebida e com as experiências vividas. Sempre que contrariamos esses valores, entramos em conflito interior, o que produz em nós frustração e insatisfação pessoal.

Visando a controlar nossos instintos mais primitivos, a sociedade tornou-se extremamente punitiva. Isso gera o nosso maior inimigo atual, a culpa. A culpa nos leva a pensamentos punitivos muito nocivos.

Coincidentemente, sinto-me bem com valores conservadores e tradicionais. Mas após anos de consultório e de intimidade com seres humanos dos mais variados tipos de comportamento, valores e diversidade de pensamentos, concluí que a única maneira de cumprir o meu papel no empenho de auxiliá-los seria não julgá-los, tentando entendê-los com uma visão global acima dos meus valores.

Ora, já que sabemos que tais valores são apenas circunstanciais e efêmeros, por que lhes dar tamanha importância? Imagine a culpa daquela menina dos anos 1940 que não aguentou e perdeu sua virgindade aos dezenove anos... Ridículo, não? Por isso, toda vez que você experimentar algo desagradável, não se culpe, mas racionalize o problema e veja o que aprendeu. Agradeça a oportunidade de ter vivido qualquer experiência que seja, e não se culpe. Lembre-se: os valores são controladores do comportamento humano que se fizeram necessários com a evolução tecnológica e sociocultural da espécie humana. Apenas isso.

Portanto, jamais se culpe.

# V

# Mágica? Não, apenas o universo ao seu dispor...

A ANÁLISE DOS CONHECIMENTOS de física quântica e de conhecimentos mais remotos leva a concluir que a energia continuamente se transforma em matéria e a matéria se transforma em energia. Além disso, é bem conhecida a fórmula de Lavoisier, "nada se cria, nada se perde, tudo se transforma". Até aí, nenhuma novidade.

Física quântica, entendida de maneira bem simples, é a ciência que defende as diferentes possibilidades. Mais ainda, a que representa possibilidades infinitas... Interessante nisso é que somos nós, com a nossa intenção, como sugerem as evidências, que determinamos a possibilidade a ser experimentada.

A grande novidade é o nosso pensamento, a nossa intenção, determinando a materialização.

Ou seja, o pensamento e as intenções se materializam. O melhor de tudo isso é que somos livres para pensar e escolher nossas experiências, nossas materializações.

Segundo os princípios mais básicos, física quântica significa possibilidades. E, de acordo ainda com ela, as possibilidades são infinitas...

Provou-se com experimentos físicos que o elétron, a menor partícula de matéria, pode estar em pelo menos três mil lugares simultaneamente. Logo, pelo menos três mil universos diferentes coexistem ao mesmo tempo, um número que na teoria se revela infinito – e que indica possibilidades infinitas.

Sabemos que não há limite para o pensamento, a imaginação e as ideias, coincidindo isso com as possibilidades oferecidas pela física quântica.

Sabemos também que o elétron ora se comporta como partícula, ora como energia, e está bem claro que o que determina seu estado é o observador. O elétron no estado energético representa potencialidade pura de transformação, podendo materializar-se no que quisermos. Quando no experimento físico se coloca um observador, o elétron se materializa e se comporta como partícula, revelando o peso dramático e significativo do observador na materialização. E o observador somos nós! O significado disso é que somos nós que definimos a nossa realidade. Sempre existirá um universo mais conveniente. Nosso pensamento é o responsável direto pelas nossas experiências.

O julgamento social e a autocrítica das pessoas geram pensamentos punitivos que influenciam dramaticamente a sua realidade. Acreditamos que a realidade vivida por nós não depende da nossa escolha; isso atrapalha a nossa evolução, limitando a consciência da nossa existência, do nosso propósito.

Neste século, com todos os avanços tecnológicos, observamos reformas e desmembramentos religiosos, revelando a urgente necessidade de melhor compreender a existência humana. Estamos muito perto de alcançar um nível de consciência jamais imaginado.

Ainda em reforço dessa teoria, pode-se olhar o universo como um grande armazém de ideias de capacidade inesgotável. Ou seja, os átomos nada mais são do que unidades de informação que, dependendo de como se combinam, representam ideias e pensamentos infinitos. Talvez o nosso grande papel seja encher o universo de ideias, quer dizer, de matéria.

Costumo dizer que a estatística não representa a realidade – representa a crença vigente de uma comunidade. Não há sentido na intenção de "estabelecer a realidade". Porque não existe realidade, mas *realidades*, no plural. A princípio isso parece abstrato, mas, quando entendemos que um elétron, antes de se materializar, tem potencialidade infinita e que o número de realidades é infinito, esclarece-se o conceito. O que determina a realidade experimentada por nós é a nossa vontade, é aquilo em que acreditamos, que desejamos. Tente desejar com seu coração, com emoção. Tente e constate.

Estudos em neurofisiologia, ciência dedicada a investigar o mecanismo de funcionamento do sistema nervoso central, revelaram que processamos 400 bilhões de *bits* por segundo. No entanto, apenas dois mil *bits* estão no nível da consciência. Isso pode significar que nosso cérebro enxerga todas as possibilidades e nos traz à consciência apenas a realidade que escolhemos. Interessante é que o gênio Charles Chaplin parecia já saber disso. Veja o que ele disse: "Nosso cérebro é o melhor brinquedo que já foi criado. Nele se encontram todos os segredos, inclusive o da felicidade".

Exemplifico isso com a minha experiência de trabalho diário. No consultório vejo que as pessoas se atrapalham com a insegurança, a culpa e o julgamento. Elas não se dão o direito da felicidade, porque têm sempre algo a esconder que cedo ou tarde gera punição. Em 100% dos casos, as punições são consequência de regras sociais programadas sem o menor sentido. Portanto, libere-se de seus segredos, enfrente-os e racionalize buscando a solução.

Pois, quanto mais questões resolvemos, menos energia desperdiçamos, acumulando-a para os desejos que realmente importam, os sinceros e autênticos. Assim nos tornamos mais leves, seguros e alegres.

A humanidade nunca foi tão ansiosa. Os pensamentos atropelam o discernimento, o avanço tecnológico produz mais informação e demanda do que o cérebro pode assimilar simultaneamente. Os perfeccionistas não conseguem executar as tarefas como gostariam. Isso causa culpa, sensação de falha e conflito. O conflito gera pensamentos que materializam distúrbios diretamente no sistema nervoso central e periférico, levando ao desequilíbrio do sistema neurovegetativo.

Exemplos claros disso são a síndrome do pânico, a impotência, o cólon irritável, a fibromialgia (dores musculares crônicas e persistentes), o espasmo de esôfago, a síndrome da dor miofascial, a incontinência urinária de estresse e por aí afora...

A medicina tradicional separa todas essas entidades patológicas. Mas, na verdade, elas são manifestações sintomáticas diversas do mesmo problema. Por isso, todas melhoram com antidepressivo.

Por outro lado, já testemunhei curas milagrosas e realizações impossíveis. As pessoas vitoriosas simplesmente acreditam e realizam. Não se trata de mágica nem de milagre, mas da utilização das leis do universo a seu favor. É a materialização das ideias que vêm do coração, do centro mais profundo do nosso ser. O universo não julga; simplesmente faz experimentar as nossas escolhas, sejam elas punitivas ou gloriosas. Portanto, perdoe-se sempre e encha-se de pensamentos vitoriosos.

# VI

# O sistema energético: decisivo na vida e na saúde

BASICAMENTE, RECONHEÇO que seis sistemas principais determinam o equilíbrio do ser humano: 1. Cardiovascular; 2. Respiratório; 3. Reprodutor; 4. Urinário; 5. Nervoso; 6. Imunológico.

No entanto, após anos de observação, primeiro em pesquisas e depois com meus pacientes, ficou evidente para mim a presença de "algo mais" em cada um de nós que é decisivo para a boa recuperação em face de uma doença ou de uma adversidade. Identifico no "algo mais" a energia vital de cada um. Passei então a defini-lo como o *sistema energético*.

Não sei se esse sistema que percebi é o mesmo que os chineses descrevem há milênios com meridianos e regiões de concentração de energia denominadas *chacras*. Também não sei se é o mesmo sistema mencionado na acupuntura. Isso é um detalhe, pois o que importa para mim é que posso sentir esse sistema nos meus pacientes.

O sistema energético é invisível, mas poderoso e grandioso. É difícil de medir, mas fácil de sentir ou perceber. Isso ocorre quando, relaxados, aproximamos e afastamos as palmas das mãos. Sentimos um campo energético entre elas. Podemos também senti-lo com as mãos de outra pessoa aproximando-se e afastando-se das nossas. Às vezes, a concentração é tão forte que ondas de formigamento nos percorrem, um arrepio... As pessoas ditas carismáticas e vitoriosas emanam sua energia desse sistema forte e sadio. Da mesma maneira que o planeta Terra tem um campo gravitacional, nós temos o campo energético.

Esse sistema é determinante no bom funcionamento dos demais sistemas do organismo. O grande segredo está em mantê-lo equilibrado, concentrado e com abundância de energia. Da mesma maneira que uma lente côncava concentra os raios solares no foco, devemos aprender a concentrar nossa energia, evitando o seu desperdício.

Quando "perdemos o foco" e não sabemos para onde ir, simplesmente seguimos caminhos que se dirigem a modismos voláteis e variáveis, com frequência difundidos nos meios de comunicação por grifes, marcas famosas e estilos de vida em nada identificados com nossos anseios mais profundos.

Nessas circunstâncias, desperdiçamos energia preciosa. O desperdício também é grande ao manifestarmos ciúme, inveja, preocupação indevida com a conduta de terceiros.

Pior do que não concentrar energia é utilizar o sistema contra nós mesmos. Isso ocorre quando estamos insatisfeitos conosco ou quando nos culpamos indevidamente. Como já disse, não existe culpa, pois não existe fracasso ou sucesso, mas sim experiência e aprendizado. Pior do que errar é não tentar. Mas estamos sempre nos julgando por valores efêmeros e variáveis, de que são exemplo as cobranças sociais. Tais pensamentos desequilibram o sistema energético e geram as mais diversas doenças.

Olhando de outro ângulo, indo no caminho inverso e mais concreto, isto é, no sentido da doença orgânica para o distúrbio energético, isso ficará mais claro.

Nós, seres humanos, percebemos apenas as variações. Um exemplo dessa percepção é o do elevador de alta qualidade, cujo movimento só é notado por nós na aceleração e na desaceleração. Ou seja, quando o elevador está em movimento constante fica impossível sentir a diferença relativa a estar ele parado.

Na história da nossa existência não é diferente. Evoluímos com conhecimento observando as variações nas mais diversas áreas. Exemplo simples dessa evolução pode ser dado considerando uma anomalia do organismo, a hepatite. Antigamente, percebia-se a hepatite com a mudança da cor da pele do paciente para o amarelo. Era uma variação grosseira devida ao aumento das bilirrubinas. Depois, passou-se a perceber a doença pelo aumento do fígado, que ocorre antes de amarelecer a pele. Com o avanço tecnológico adotou-se a medição dos parâmetros sanguíneos, pela qual se detectavam variações anteriores ao aumento hepático. Hoje se sabe que a célula hepática fica doente antes de se detectarem as alterações sanguíneas. Percebe-se que ela adoece por desequilíbrio nas reações químicas que são fundamentais no desempenho das suas funções. Ora, tenho certeza de que também antes das variações celulares ocorre alteração nas suas moléculas. Quando nos aprofundamos no raciocínio fico convicto de mais uma anterioridade, a de que se alteram os átomos, e finalmente a de que se alteram os elétrons dessas células.

Sabemos que o elétron ora se comporta como matéria, ora como energia. Portanto, o início da variação, da alteração, da doença dessa célula dá-se no seu elétron, quer dizer, na sua energia. Antes de adoecermos no corpo, adoecemos no espírito, na energia dos átomos.

Quando exploramos o poder de cura de um paciente, nada mais estamos fazendo do que ativar e concentrar seu sistema energético em função de um equilíbrio dinâmico focado no desejo de curar-se que ele possui. Nós, médicos, somos um instrumento que direciona e focaliza a vontade do paciente. Porque é ele quem tem a capacidade de se curar. A confiança no médico gera pensamentos capazes de equilibrar o sistema energético, gerando a cura. Ou seja, temos que acreditar e utilizar instrumentos que tornam a crença, a fé, uma realidade.

Como manter nosso sistema energético sadio? Temos que primeiro eliminar nossas culpas uma a uma. Enfrentar as origens de cada culpa, livrar-nos dos velhos condicionamentos que limitam nosso crescimento. São aqueles valores clássicos, como a obrigação de dar um dote para cada filha, a obrigação de um casamento bem-sucedido, a de ser prósperos em um meio no qual não nos identificamos etc.

Temos que simplesmente existir com potencialidade infinita de escolha para as diversas experiências. Temos que assumir apenas o compromisso das realizações e da felicidade. Precisamos descobrir o que queremos olhando para a parte mais profunda do nosso ser, e então agir.

A visualização diária dos nossos desejos, com ideais que melhoram a autoestima, é a ferramenta poderosa de que dispomos e raramente usamos. O ser humano deste século precisa urgentemente aprender a controlar seus pensamentos da mesma maneira que aprendeu a caminhar em pé. Será esse um marco evolutivo da nossa espécie tão importante quanto o domínio do fogo, a invenção da roda e a criação da escrita.

Precisamos nos conscientizar de que, quando enxergamos as metas já alcançadas, o universo conspira para a materialização. Isso ocorre por meio das coincidências.

A materialização, nesse caso, nada mais é do que a migração da possibilidade escolhida do nível inconsciente para o consciente. Ou seja, dentre as infinitas possibilidades que abrigamos no inconsciente, aquela desejada aflora no nível consciente ao manifestarmos o nosso desejo, e alcançamos a realização. Quanto mais fazemos isso e nos reafirmamos agentes da materialização, mais fortes e confiantes ficamos.

A essa ação de reflexão, meditação, passo anterior à materialização, classifico de *concentração de energia* – é a focalização da meta. Uma vez concentrada, a energia materializa-se de acordo com a nossa intenção e desejo.

Toda meditação diária, com visualização, com métodos de ioga ou ainda com exercícios respiratórios, são técnicas antigas de valorização e fortalecimento do sistema energético. Portanto, pratique diariamente a técnica da sua escolha – insisto, pratique – e traga para o nível consciente as experiências escolhidas. Comprove você mesmo. Dessa maneira o seu sistema energético estará sempre intenso e sadio. Só depende de você.

VII

# Fatos para os céticos

QUANDO DIGO QUE O UNIVERSO conspira para materializar a nossa intenção, não suponho que o ato de imaginar um elefante branco o faz surgir instantaneamente na nossa frente. O universo materializa nossas intenções usando instrumentos e recursos já existentes na realidade em que acreditamos. Esses recursos e instrumentos que determinam a realidade provêm da criatividade humana gerada ao longo da nossa existência. Ou seja, medicamentos, tecnologia de ponta e encontros casuais são fortes instrumentos na gênese da nossa intenção.

Para bem entender, observemos as vitórias impossíveis. Pessoas de sucesso têm sempre histórias de coincidências fantásticas, de encontros casuais decisivos na realização dos seus desejos. Esses eventos em cascata randomicamente quase impossíveis sucedem sempre uma intenção, um desejo sincero e profundo.

Sou apaixonado pela medicina, sempre desejei muito sucesso profissional, acreditando que o ganho material seria consequência do sucesso. Inúmeras vezes li aleatoriamente diversos temas de doenças raras, de difícil diagnóstico. De modo fantástico, na semana seguinte um paciente com a patologia estudada marcava consulta comigo. O diagnóstico dessas patologias colaborou decisivamente para a realização da minha intenção e sucesso. Quando a intenção coincide, a materialização é muito mais intensa. O paciente quer o diagnóstico, eu quero o sucesso. Sempre que o nosso propósito pessoal vai ao encontro de benefícios a terceiros, as coincidências para a materialização do desejo são fantasticamente mágicas.

A esse respeito, ironicamente, li o relato de um médico conceituado na *Folha de S.Paulo* com o título: "Nunca vi pensamento curar doença". Contava o caso de um paciente portador de câncer de testículo e desenganado pelos médicos. Na época, o único tratamento disponível era com cisplatina, medicamento hoje amplamente utilizado mas que acabara de ser lançado e estava disponível apenas num centro médico da América do Norte. O custo para o tratamento era altíssimo, muito além das posses do paciente. Mesmo assim, ele viajou para o centro americano com duzentos dólares no bolso. Chegou lá, bateu na porta do hospital, recebeu o tratamento e voltou curado. Vale lembrar que esse paciente nunca desistiu e que lá dentro, no fundo do seu ser, sempre acreditou. Na minha opinião, sua cura nasceu da sua vontade de viver. A partir daí, o universo conspirou para que ela acontecesse. O primeiro evento nesse sentido foi a conversa com o médico competente que o informou da existência de um medicamento novo. Ele foi atrás do medicamento – sem dinheiro, mas cheio de esperança. Conseguiu o tratamento e curou-se. É importante lembrar que nem todos se recuperam com o mesmo tratamento. O que fez a diferença na cura, nesse caso? Foi a vontade de viver. Foi acreditar que alcançaria a cura. Seu médico, o medicamento cisplatina e o acolhimento do centro médico americano foram apenas a sucessão de eventos e coincidências que o universo encontrou para materializar a cura na nossa realidade. Os mais céticos dirão que a cisplatina curou o câncer. Entendo que ela foi um dos instrumentos para tornar possível o milagre em face de tantas adversidades. O fato de um paciente condenado e sem recursos ter acesso a uma medicina de ponta é um milagre. A sucessão de eventos e coincidências, desde a consulta ao médico brasileiro atualizado até a cura, foi a maneira que o universo encontrou para materializar o seu desejo.

Mais fantástico ainda é o caso de meu paciente Márcio, hoje um amigo. Diagnosticamos esclerose múltipla no jovem e brilhante Márcio. Quando aquele rapaz veio ao meu consultório, senti que era diferenciado, um guerreiro mesmo. Tinha olhos de vencedor. Chegou repudiando e negando a colocação do primeiro médico, que lhe fechara as portas da esperança de cura. A minha postura otimista foi de seu agrado. Pois, mesmo quando a ciência ainda não tem um parecer claro e definitivo para a cura de determinada doença, sempre acredito que uma novidade está por surgir.

Isso também ocorreu num caso de aids em 1993, quando, junto com o paciente, o visualizei melhor e curado. Era grave o estado de Vander: suas defesas estavam de tal modo debilitadas que até infecção por fungo no cérebro ele apresentava. No mês seguinte surgiu o AZT, depois o coquetel. Vander, hoje, está mais saudável do que nunca. Por isso tinha e tenho postura otimista sempre...

Com Márcio, vali-me de todos os tratamentos preconizados; ele melhorava, mas tinha outros surtos seguidos de recaídas. Sua curiosidade era admirável, estudava as novidades na internet, inscreveu-se na Escola Paulista de Medicina; chegamos ao ponto, nas nossas visitas, de eu aprender com ele sobre esclerose múltipla. Quando tudo parecia perdido, o guerreiro Márcio se inscreveu em um protocolo de tratamento experimental com células-tronco no Hospital Israelita Albert Einstein. Foram quinhentos casos tratados. Desses, somente duas pessoas se curaram. Um deles foi o brilhante guerreiro Márcio, tinha de ser! O desejo de cura gerou os instrumentos terapêuticos com as células-tronco. A coincidência de ser ele um dos curados foi fruto do seu desejo intenso de curar-se – hoje, pelo visto, não disponível para outros pacientes, em função dos riscos e do baixo índice de bons resultados.

Mais interessante ainda é quando as coincidências são incrivelmente fantásticas. Quando o mecanismo que materializa o desejo é gerado pela fé pura e simples, pela crença abundante em sentimentos, transbordando de emoção. Parece mágica! Assim aconteceu com a sra. Tina Silvanelli. O interessante foi como cheguei a esse caso, na condição de um instrumento do desejo da sua filha Nice de curar a mãe.

Segundo ela mesmo relata, seu desespero era intenso, pois não via perspectiva de melhora para sua mãe internada havia mais de dois meses, num hospital de ponta. Agoniada, ela ajoelhou-se em frente ao quadro da Virgem Maria e pediu: "Por favor, ajude-me a salvar minha mãe, ela é tudo o que tenho. Por favor, mande-me um caminho, uma luz para curar minha mãe! Não aguento mais lidar com o seu sofrimento..." Foi então que ouviu em pensamento, como se alguém lhe assoprasse no ouvido: "Clube Paulistano". A princípio achou isso estranho, incompatível com seu pedido cheio de fé. Mas, fantasticamente, de novo ela ouviu "Clube Paulistano". Nice decidiu pedir a indicação de um médico que fosse do Clube Atlético Paulistano, com as qualificações necessárias para assumir o caso de sua mãe. Por coincidência, procuro separar duas horas do meu dia para a prática de esportes no CAP.

Recebi o telefonema, assumi o caso e diagnostiquei mal de Parkinson como a principal razão das complicações respiratórias e alimentares de dona Tina, que vinham perpetuando sua internação e os cuidados hospitalares. A boa notícia é que, com a introdução de um tratamento específico, a paciente teve alta hospitalar em dez dias.

Quando a conheci, dona Tina estava se alimentando por sonda, sem falar, literalmente rígida, paralisada e prestes a submeter-se a uma traqueostomia. Percebi, além da rigidez, um tremor discreto em suas mãos totalmente contraídas pelo parkinsonismo. Foi uma coincidência maravilhosa, para mim e para a paciente, ela apresentar uma patologia administrável, com resultados excelentes na primeira fase de tratamento.

Prometi à filha que dona Tina voltaria a falar e a comer sem o auxílio de sonda. Prometi que comeria o famoso *polpettone* do Jardim de Napoli, sentada, com a família à mesa do jantar. Visualizamos esse jantar juntos, apesar da expressão desacreditada de Nice.

Dois meses depois, dona Tina saboreava um suculento *polpettone* em sua sala de jantar. Após o jantar, ela, contente e feliz com sua recuperação, cantou uma canção para todos nós.

O que me chamou a atenção nesse caso foi a experiência de Nice com um fenômeno descrito como clariaudiência, ao ouvir o sussurro "Clube Paulistano". O dicionário define clariaudiência como o ato ou poder de ouvir, em transe mesmérico, sons imperceptíveis ao ouvido no estado natural de vigília. Walter M. Germain, autor do livro *O mágico poder da sua mente*, define a clariaudiência como a faculdade da inteligência humana que permite, no nível mental consciente, receber por meio de palavra falada comunicações do supraconsciente da pessoa ou de terceiros. Em outras palavras, ocorre comunicação com o inconsciente coletivo, no qual estão armazenadas todas as respostas do universo. Tais fenômenos acontecem diariamente e são mais frequentes quando estamos emocionados, quando desejamos com paixão, com a nossa alma.

Portanto, mais uma vez constatamos que as coincidências são os instrumentos que o universo utiliza para materializar nossos desejos. Essas coincidências tornam as nossas materializações possíveis, pois nos dão o apoio para que o crer seja possível, de uma maneira lógica e racional. São a explicação lógica de como alcançamos a materialização. São as justificativas dos céticos.

# VIII

# O poder do pensamento coletivo

TODAS AS GRANDES TRANSFORMAÇÕES do universo e da humanidade são precedidas de uma necessidade com um propósito único: a manutenção do equilíbrio. Esse equilíbrio associa-se diretamente à preservação da espécie.

Mas nessas circunstâncias vou um pouco além e afirmo que a necessidade é decorrente da preservação do equilíbrio do planeta alcançado ao longo de sua existência. Do equilíbrio do microcosmo e do macrocosmo. Ou seja, do equilíbrio da energia das moléculas, das bactérias das plantas e das diferentes espécies.

A necessidade gera a motivação para as mudanças e destas vem o desejo. A partir daí ocorre uma sucessão de eventos e coincidências que convergem para a materialização do equilíbrio. Para a solução!

Quando a necessidade é da coletividade, a materialização e realização ficam incrivelmente mágicas... Isso se dá porque, apesar da individualidade, fazemos parte de uma entidade única, estamos todos interligados.

Pode-se comparar tal situação com a comunicação e ligação hoje promovidas pela internet. Cada unidade de computador faz parte de uma rede mundial em que todas as informações são acessíveis. Curiosamente, a internet desafia as leis da física, pois não ocupa espaço, não tem massa, tem a velocidade do pensamento e não depende do tempo.

A diferença é que a ligação a que me refiro não se faz somente entre seres humanos, mas com tudo e com todos.

Para entender bem essa ligação basta considerar as pequenas coisas do cotidiano.

Começando com a sincronização da natureza: quem já não relaxou quando, em silêncio, se concentrou no som tranquilizante de uma cachoeira ou da chuva? Ou ainda no som dos passarinhos, do mar ou dos ventos, dentre tantos outros?

Isso não é algo que apenas ouvimos, é também o que sentimos. Diante de situações como essas ficamos mais próximos do todo. Então nos sentimos bem, alcançamos a harmonia. Pois fazemos parte do todo e, apesar de mais distantes neste século, nós ainda somos a natureza!!!

Você já parou para pensar por que gostamos desse som natural e odiamos o de uma buzina? Tenho certeza de que, quando sincronizados com o todo, estamos apenas mudando a frequência de onda, de energia, como se mudássemos de uma estação de rádio para outra.

Nos estudos da atividade do cérebro são detectadas diferentes frequências de ondas na vigília, no sono e na meditação. Isso é um fato.

O bocejo é outro exemplo de sincronicidade: basta alguém relaxar com um agradável bocejo para quase todos a seu redor começarem a bocejar, numa reação em cascata do tipo dominó. Ora, o bocejo é relaxante e literalmente contagioso. As gargalhadas são também evidências de sincronicidade. Muitas vezes, sem o menor conhecimento do que se trata, começamos a gargalhar apenas por observar as gargalhadas de terceiros. Pare neste momento para pensar e constate: você está experimentando algo que sente com a alma.

Vários estudos demonstram que o otimismo é contagioso. Acredito que sua transmissão se dá também por sincronicidade. A pessoa otimista emana alegria. Essa alegria contagia. Acredito que a mudança do estado de espírito ocorre pela mudança de frequência, de vibração. Acho interessante várias pessoas usarem a expressão "vibração" ao definir o astral deste ou daquele indivíduo... Curioso, não?

Agora quando sincronizados e focados no mesmo objetivo e desejo, experimentamos realizações fantásticas. Já testemunhei algumas situações curiosas desse superpoder comunitário.

A mais interessante delas foi a do show do Queen no estádio do Morumbi. O céu estava nublado e o tempo chuvoso. Éramos mais de cem mil espectadores. O conjunto MPB4 começou a cantar "Lua cheia" com toda a multidão... todos cantando e lembrando de como a lua cheia é linda!

Depois de três minutos a chuva parou e a lua cheia apareceu cristalina, com o céu inteiro nublado à sua volta. Foi como se as nuvens se abrissem como cortinas para exibir a gloriosa lua cheia. Assim que a música acabou, as nuvens voltaram a cobrir o céu e a lua desapareceu.

Recentemente, com a globalização, os meios de comunicação se tornaram ferramentas poderosas na formação do pensamento coletivo. Quando analisamos com calma a tragédia do 11 de Setembro, verificamos, em análise fria e racional, que o número de mortos foi infinitamente inferior ao dos problemas crônicos causados pela fome, pela miséria e pelas endemias. No entanto, sem divulgação, esses fatos perdem importância, apesar de mais graves para a humanidade. Já com a divulgação das imagens ao vivo, ficamos extremamente deprimidos. O pessimismo coletivo gerou um mal-estar global no ar, muito fácil de sentir à época.

Outro episódio curioso a que a mídia deu dimensões inusitadas foi o pânico da gripe suína, a H1N1. Essa gripe só é perigosa para uma fração diminuta da população, quando ocorre insuficiência respiratória aguda. A grande maioria das pessoas apresenta um quadro mais leve que o da gripe comum. Nessa situação, o importante é dormir e alimentar-se bem. Durante a epidemia, eu tinha mais trabalho para explicar a gripe acalmando os pacientes do que para curá-la.

Observamos também o poder do desejo coletivo nas orações comunitárias e principalmente nos programas que favorecem o equilíbrio. Exemplo claro disso são as coincidências na realização dos projetos ecológicos, apesar da resistência dos órgãos governamentais. A necessidade já está no inconsciente da humanidade, do todo. Quem apresenta um projeto ecológico observa quase um automatismo na sucessão de eventos que favorecem a sua concretização. São, mais uma vez, as coincidências, só que aí com a força do desejo coletivo. Essas pessoas são instrumentos da coletividade na realização das necessidades da humanidade.

Por isso, procure metas que você ame e que beneficiem terceiros. Desse modo utilizará o poder do desejo coletivo a seu favor, materializando-o com consequente realização pessoal.

IX

# Evite a mesmice!

UMA VIDA SE CONSTRÓI com experiências, desafios, vitórias e aprendizado nas supostas derrotas. Pois, dependendo do ponto de vista, nunca se perde ou se ganha: sempre se aprende. Quando não temos a alternância do sucesso e do fracasso, somos verdadeiros mortos-vivos facilmente manipulados. Nessa morna condição muito comum hoje, fruto da acomodação estimulada por valores ultrapassados e totalmente inadequados para o nosso presente, gera-se a frustração. O quadro é conhecido: frustração e insatisfação nos tornam vulneráveis à dependência química e psicológica.

Na minha rica vida diária de consultório (aliás, nada rotineira), observo que com frequência o principal problema do paciente é a rotina prolongada, que defino como mesmice. Geralmente sou procurado para *check-up* e para orientação de hábitos saudáveis. Pois na maioria das vezes as pessoas se encontram acima do peso, com hábitos alimentares péssimos fora de controle, associados a tabagismo excessivo, alcoolismo e por aí afora.

Quando me aprofundo na consulta, vejo que há muito tempo o paciente não faz algo que lhe dê prazer. Ou, pior ainda, ele não sabe mais o que lhe dá prazer. Seu dia a dia se repete ano após ano sem perspectivas, numa acomodação frustrante e incapacitante. Isso independe da condição cultural, social e material. Simplesmente lhe falta a exploração do novo, do desconhecido.

Certa vez, num sábado, estando eu no clube com minha mulher, veio um paciente em minha direção com ar de gratidão e disse: "Preciso te contar uma coisa... Lembra que você me disse para anotar num papel tudo o que estava me incomodando? A primeira coisa que fiz foi mandar a empregada embora... Depois briguei com a minha noiva e comprei um cachorro". Ele acrescentou ter cancelado seu casamento dois meses antes da cerimônia e estar feliz, com filhos e bem casado com outra mulher.

Esse paciente teve a coragem de transcender os valores e seguir seu coração. Sua vida estava sendo dirigida. Resolveu dirigi-la com sentimentos mais sinceros e não com a inércia dos valores que na ocasião da consulta não identificava. A única coisa que fiz foi orientá-lo a cortar da vida tudo o que não lhe fazia bem. Só não esperava que cancelasse o casamento; com isso fiquei realmente surpreso...

Aquele que não tem a coragem de seguir seu coração, que se rende à rotina, evolui para as mais variadas doenças ou se apoia no açúcar de rápida absorção, álcool e THC, entre outras válvulas de escape mais nocivas.

Mencionar a agressividade do álcool, da cocaína e da maconha não seria nenhuma novidade. Mas acho pertinente alertar para os danos do pior vício deste século, o açúcar de rápida absorção. Digo pior pelo fato de ser desconhecido o seu perigo pela maioria da humanidade, que o consome diariamente.

São de rápida absorção os farináceos brancos e o açúcar refinado. Sua diferença para a frutose obtida das frutas é o tempo que levam para ser absorvidos pelo organismo: velozes, imediatos, ao passo que a frutose se processa de maneira muita mais lenta, e portanto mais saudável.

Mais saudável porque o nosso projeto biológico evoluiu obtendo a frutose das frutas e não a glicose do brigadeiro. Ou alguém já viu um pé de brigadeiro? A natureza nos moldou para digerir uma maçã com casca, retardando a absorção do carboidrato até a corrente sanguínea. Dessa forma o resultado de nosso metabolismo é muito menos nocivo do que quando metabolizamos um brigadeiro.

Certa vez, minha irmã comentou: "O pão domina o mundo!" Estava certa, e sua observação foi comprovada cientificamente.

Poucos sabem, mas o carboidrato de rápida absorção é o mais utilizado liberador de serotonina e dopamina pela humanidade deste século. Supera de longe a cocaína e os antidepressivos. Esses neurotransmissores são responsáveis pela sensação de bem-estar e prazer. O que quero dizer é que o ser humano deste século é viciado, isto é, dependente de açúcar. Até aí não haveria problema nenhum, se o açúcar não causasse problemas metabólicos graves, com morte celular, levando ao aumento do risco cardiovascular e ao envelhecimento precoce. Sem contar com a apatia, a acomodação e a desmotivação presentes em toda dependência. Ou seja, favorecendo o desperdício de tempo precioso da nossa vida. Desperdício pela ausência de experiências e produtividade, pela inibição da nossa criatividade, que em circunstâncias normais é infinita.

Imagine você, caro leitor: quando ingerimos um brigadeiro, o açúcar é absorvido rapidamente, sem nenhum processo de digestão, em grandes quantidades. Ao alcançar o cérebro, por uma simples questão de gradiente, altas concentrações de açúcar atingem e atravessam a membrana do neurônio. Diante dessa situação, o neurônio automaticamente consome o açúcar, produzindo serotonina e dopamina, o que proporciona a sensação de bem-estar e tranquilidade.

Quem nunca tomou "aguinha com açúcar" após uma crise de choro? Ou, ainda, que mulher na TPM não se sentiu melhor depois de comer uma barra de chocolate?

Quando olho de forma mais abrangente, vejo o modelo americano de classe média como vítima do consumo excessivo de carboidrato. A difusão do alimento rico em carboidratos de rápida absorção, associada à mesmice com falta de perspectiva, levou à dependência de milhões de pessoas no mundo todo, a ponto de se constatar que a humanidade hoje é dependente desse tipo de alimento.

Cito a classe média americana, principalmente a dos anos 1960, por ser o exemplo da mesmice. Todas as pessoas podem ter carro, TV a cabo, casa própria etc. Num primeiro momento, isso funciona bem, motiva-as para a vida. No entanto, após os trinta anos de idade, elas são vítimas da mesmice, acomodam-se e viciam-se na dopamina e na serotonina liberadas pelos *donuts*, *brownies*, panquecas e *marshmallows*. O grande problema que as pessoas têm para emagrecer não se deve à falta de conhecimento, mas sim à dificuldade que temos em controlar nosso apetite. Isso ocorre pela dependência que temos dos alimentos, um vício e, portanto, algo difícil de se vencer.

A primeira vez que a medicina lidou com tal frustração foi no início da década de 1960, quando o modelo social se baseava no sistema patriarcal: o homem trabalhava durante o dia, a mulher educava os filhos e cuidava da rotina da casa, como o preparo do jantar. O homem, ao chegar em casa, encontrava os filhos penteados, de banho tomado e prontos para o assado que a esposa acabara de preparar.

Parecia tudo muito certinho, direitinho, até o momento em que a mulher começava a chorar sem saber a razão. Os médicos de família foram os primeiros a constatar a frustração causada pela rotina carente de perspectiva. Os homens também se queixavam, mas na época a depressão e a tristeza gratuita, hoje na moda, eram sinal de fraqueza e motivo de vergonha. Principalmente para os homens, que representavam a força e a razão. Temiam a marginalização social e a perda do emprego.

Foi aí que nasceram os primeiros estabilizadores de humor, como o Librium e o Valium, rendendo lucros fabulosos para os laboratórios. Esses medicamentos tamponaram o problema, mas não resolveram nada. Na mesmice sentimos que falta algo, pois o modelo que nos apresentam não preenche os nossos anseios mais profundos. Isso ocorre por uma razão muito simples: o ser humano é insaciável por natureza.

Por todas essas razões, procure sempre novas experiências. Seja curioso, aspire por algo que vá ao centro mais profundo do seu ser, aquilo que arrepie, que toque sua alma e a preencha de emoção. Realize-se sem medo do julgamento alheio, respeite sua alma, a essência singular de que você é dotado.

O novo não significa exatamente um trabalho novo, pode ser uma atividade nova, uma nova paixão, uma mudança de cidade ou ainda um novo hobby. Faça planos diariamente!!!!!!!!! Descubra o que faz você se sentir bem.

# X

# A ilusão da fonte da juventude, o apelo dos rituais, do desejo, da motivação. E a força do crer...

NÃO É DE HOJE que buscamos a fórmula milagrosa do rejuvenescimento. Na Idade Média os alquimistas eram extremamente valorizados por suas poções mágicas rejuvenescedoras.

No entanto, em cima dessa busca incessante da humanidade surgem, principalmente neste século rico em tecnologia, algumas linhas de medicina autorrotuladas "superavançadas" que prometem verdadeiros milagres.

Ouço histórias fantásticas, como a da utilização de luzes verdes no sangue do carente paciente para justificar determinado tratamento. Ou ainda a utilização do microscópio eletrônico para exibição das células sanguíneas do paciente em monitores coloridos, e por aí afora.

Tais métodos não têm finalidade científica; têm apenas o propósito de impressionar o pobre leigo que gasta um caminhão de dinheiro com tais procedimentos. Pior ainda é avaliar os sais minerais no fio de cabelo, enviando o exame para realizar-se no exterior, como se o mundo ainda não fosse globalizado. Ora, o bom cientista que desenvolve métodos de avaliação jamais escolheria o cabelo para medir sais minerais, a que se chama mineralograma. Nosso cabelo está exposto a poluição, xampu, água do mar, cloro da piscina etc.

O criador dessa metodologia de mensuração de sais minerais dificilmente passaria na pós--graduação de uma universidade, pois escolheu um elemento, o cabelo, exposto demais a variáveis que interferem na precisão da medida. Tal método seria reprovado na primeira reunião do criador com seu orientador.

Apesar de ter a mente aberta, sou um médico conservador no que diz respeito a ministrar tratamentos novos. Sempre aguardo cautelosamente alguns meses para utilizar um medicamento que acaba de ser aprovado pelos critérios da ciência tradicional. Esses critérios envolvem experiências e estudos controlados, primeiramente com animais e depois com ensaios clínicos. Mesmo aprovados, suas consequências só serão percebidas na íntegra após meses de utilização. Foi assim com produtos como Talidomida, Redux, Acomplia e Vioox, entre tantos.

Quando olhamos o histórico da medicina alopata, constatamos que esta é feita de verdades transitórias e circunstanciais. Tais circunstâncias são regidas pela ignorância científica e por interesses econômicos.

Por isso, devemos estar sempre atentos e questionar aquilo que não faz muito sentido. Um sábio professor da Escola Paulista de Medicina certa vez comentou em classe: "Se a sua prescrição médica tem mais de duas páginas, alguma coisa está errada". Ou seja, devemos utilizar o menor número de medicamentos possível, sempre analisando os pontos favoráveis e os contrários.

Quanto ao tratamento, sigo rigorosamente o consenso médico, isto é, aquele que está nos livros de medicina, com o conforto e a segurança da constante atualização on-line.

Ao longo dos anos, infelizmente, a medicina alopata aprendeu com erros catastróficos. Por isso desenvolveu métodos e procedimentos rigorosos, visando proteger o consumidor de medicamentos ineficazes ou nocivos, assim como de novos métodos terapêuticos sem comprovação adequada. Mesmo assim, como escrevi acima, apesar de todos esses critérios ainda sou comedido ao adotá-los.

Já nas linhas de medicina que se rotulam "superavançadas", os estudos disponíveis sobre tratamento e métodos, quando encontrados, são malfeitos, sem controle e com metodologia no mínimo duvidosa. Por isso, não tenho a menor segurança em aprovar, utilizar ou ainda endossar um tratamento, qualquer que seja, sem o mínimo respaldo técnico ou científico. Receio as consequências negativas para os pacientes em curto, médio e longo prazos.

A nossa sorte é que as pessoas "beneficiadas" por esses tratamentos milagrosos geralmente são sadias, toleram bem os procedimentos (excesso de vitaminas, soros endovenosos, entre outras terapias) e raramente se prejudicam. A maioria não se beneficia e abandona o tratamento.

Por outro lado, é inegável a satisfação e melhoria da condição de saúde que alguns pacientes apresentam depois de seguir os tratamentos com essa linha de medicina.

Ora, se a metodologia e o tratamento não têm sustentabilidade científica, como explicar o sucesso desses casos? É aqui que entram as leis do universo no sentido de desejar e experimentar, materializar ou, AINDA, trazer ao consciente a realidade almejada... Descobri que os fatores decisivos foram: 1) o nascimento interior do desejo de melhorar, que ocorreu antes mesmo da visita ao médico; 2) o ritual da realização dos exames, cheio de efeitos especiais; 3) a motivação, com consequente crença na terapêutica; e 4) a melhora marcante e significativa nos hábitos rotineiros, muito mais saudáveis do que antes.

Cheguei a essa conclusão graças à curiosidade que me motivou a estudar o pequeno grupo de pacientes pretensamente beneficiado. Após analisar detalhadamente cada caso, constatei que o fator decisivo na melhora desses indivíduos não são as vitaminas nem os métodos utilizados, mas a atitude positiva do profissional que está por trás do tratamento. Geralmente, são pacientes que passam por uma fase problemática na vida. O profissional os atende com calma, escuta, dá colo. Enfim, oferece um tratamento humanista.

Ele, ou melhor, eles, os profissionais, são verdadeiros especialistas em motivação. E por fim encontram uma *insignificante* deficiência de selênio, ou mesmo uma infecção fúngica (que todos temos, sem o menor significado), teoricamente capaz de "explicar" a ansiedade, a fraqueza e as queixas do paciente.

Os colegas, então, ministram as vitaminas e, após os resultados dos seus testes, conseguem o mais difícil, que é motivar o paciente a melhorar seus hábitos com dieta e exercícios. O paciente, então, deseja, acredita que vai melhorar e realmente melhora. Já me referi aos hábitos saudáveis com nutrição adequada, boa qualidade de sono e exercícios, que são responsáveis por diminuir o risco de patologias em até 90%. Nenhum medicamento consegue isso.

É muito comum esses pacientes comentarem que o apoio recebido pelo colega motivador foi decisivo na escolha do caminho profissional ou afetivo. Os que acreditam voltam mais magros, com autoestima revigorada e melhor disposição. Resumindo, o que faz a diferença não é o tratamento ministrado, mas o processo em si. Todo o ritual da realização dos "exames cheios de efeitos especiais", associado à capacidade motivadora do profissional, cria um ambiente em que o paciente acredita que tem algo tratável. Isso o motiva a acreditar também que, se comer bem e tomar as vitaminas, vai melhorar – e melhora. Os colegas exploram o poder de autocura que estava adormecido, mas sempre presente em todos nós.

A qualidade da alimentação tem papel fundamental, principalmente quando associada à crença de que se vai melhorar. Vários casos semelhantes passaram no meu consultório, onde, sem ministrar nada, consegui mudar os hábitos do paciente, simplesmente o motivando. Ele sente-se jovem e portanto aparenta menos idade. Realmente melhora a sua condição de saúde pelo simples fato de crer que está melhor.

Portanto, na vida é fundamental encontrar os instrumentos que nos levam a acreditar, que geram a crença, a fé. Esses instrumentos, esses meios, são as coincidências que aparecem espontaneamente sempre depois de um desejo sincero, emotivo e profundo.

Os rituais são fortes instrumentos que geram a emoção para crer; e, quando acreditamos, nosso poder de materialização e realização é infinito.

## XI

# Envelhecimento e vida eterna

VAMOS COMEÇAR FALANDO um pouco da atitude diante do envelhecimento. Perguntaram a Oscar Niemeyer, aos 102 anos de vida, se ele sente falta da juventude. Resposta: "Não tenho tempo para pensar nisso". Resposta perfeita, pois ele vive o hoje, o presente, criando projetos e até compondo samba em UTI de hospital. O que intriga é o fato de, aparentemente, ele não se cansar de criar, não perder a paixão pela vida, pelo agora. Por isso insisto com o tema de viver o hoje. Pois nossas vidas são feitas de uma série de consciências do agora, isto é, de diferentes universos do presente. Nessa consciência do agora nós vivemos um desejo anterior ao momento vivido. Entendo hoje a razão de não existir nem passado, nem presente, nem futuro. Porque tudo acontece simultaneamente; o que ocorre é que nós experimentamos apenas uma consciência de cada vez, um universo por vez. Aquele que está presente neste momento. Ora, se o número de universos é infinito, há um universo para cada unidade de tempo. Logo, se é possível estar constantemente mudando de universo, é possível viajar no tempo. Curioso, não? Abraham Lincoln sonhou com sua morte no teatro. Em vez de mudar de universo e não ir ao teatro, ele foi...

Segundo o físico e cosmologista Stephen Hawking, é possível viajar através do tempo, e a tecnologia para esse feito está mais próxima do que imaginamos. Hawking conta que todos os dias os relógios de alta precisão dos satélites têm que ser atrasados um terço de bilhonésimo de segundo. Isso ocorre porque o tempo passa mais rápido quanto mais distante se esteja do campo gravitacional terrestre. Ou seja, neste exato momento os satélites viajam no tempo para o futuro. No entanto, Hawking explica também que é impossível viajar ao passado, pois no universo tudo é causa e efeito, e nunca o inverso. Isso se dá em função dos paradoxos que ocorreriam. O exemplo claro disso é o do viajante que volta no tempo e assassina o próprio avô. Como ele pode existir para matar o avô? Se ele matar o avô, ele simplesmente nunca existirá. Cria-se o paradoxo. No entanto, existe um detalhe a ser mencionado. Todas as explicações e suposições de Hawking se referem à viagem no tempo com nosso corpo físico. Agora, quando falo em consciências (não em corpos!) e universos infinitos, tudo é possível. Basta desejarmos, imaginarmos, não existem limites.

A história de Edgar Cayce é um exemplo claro do que descrevi. Conhecido como "o homem milagroso de Virginia Beach", Cayce tinha poder de cura infinito, assim como, quando em transe, conhecimento infinito. Viveu no começo do século XX. Parecia se comunicar com outras dimensões, nas quais acessava informações inesgotáveis. Conseguia ver o futuro com precisão indiscutível. Afirmava que, em transe, tudo lhe ocorria simultaneamente e que utilizava o conhecimento acumulado do supraconsciente, do inconsciente coletivo. Parecia ter acesso a vários universos ao mesmo tempo, em estado de consciência suficiente para a comunicação verbal com as pessoas. Fazia diagnósticos e previsões incríveis, muito além de sua época.

O que a ciência sabe hoje sobre envelhecimento? Fomos programados para morrer, porém podemos retardar o envelhecimento... A célula cancerosa é única, pois não tem mecanismo que regula a sua morte como as nossas outras células, daí seu poder devastador (telomerismo). Teoricamente, a mulher grávida recebe todos os nutrientes necessários para uma nova vida, tudo "novinho em folha no seu útero"; no entanto, ela continua a envelhecer... Por que isso? Porque existem mecanismos, modulados pelo estresse, a alimentação, o cigarro, a qualidade do sono, que aceleram ou retardam a apoptose celular. A apoptose, ou morte celular, ocorre após a ativação de um gene que provoca a autodestruição. Ou seja, fomos projetados para envelhecer e morrer. Quando controlarmos isso, deixaremos de envelhecer.

Segundo os livros técnicos de medicina, envelhecimento é o processo que transforma jovens adultos, a maioria deles saudável, em adultos mais velhos, nos quais a deterioração física aumenta progressivamente o risco de desenvolvimento de doenças e conduz à morte.

Mas a principal descoberta em biogerontologia (ciência que estuda o envelhecimento), graças a estudos em modelos animais, é que, ao contrário do que se pensava, somos capazes de retardar, sim, e desacelerar o envelhecimento.

Os estudos revelaram que a simples manipulação de sinais nutricionais e circuitos genéticos, os mesmos já descritos nos seres humanos, aumenta dramaticamente a longevidade nos mamíferos. Hoje já é rotina aumentar a longevidade de camundongos em 40% e a de ratos em cerca de dez vezes, com a eliminação completa do risco de desenvolvimento de câncer e doenças cardiovasculares.

Portanto, parece plausível que no futuro próximo, com o melhor entendimento dos fatores que determinam o envelhecimento, seremos capazes de retardar de forma impactante as enfermidades, assim como a data da morte.

De maneira básica e geral, os estudos também revelaram que a dieta com restrição calórica e restrição de determinados aminoácidos tem papel determinante na longevidade de ratos e camundongos.

O mecanismo dessa constatação está relacionado com os níveis de açúcar, insulina e outros fatores metabólicos. Ou seja, mecanismos metabólicos similares àqueles observados no consumo excessivo de açúcares de rápida absorção.

Portanto, como foi mencionado anteriormente, o excesso de carboidrato refinado (farináceos brancos, doces e amido da batata) é nocivo e diminui a expectativa de vida. Siga uma dieta balanceada rica em frutas, verduras e legumes. Muita salada, azeite de oliva, peixe, nozes, castanhas etc. Evite os alimentos industrializados, principalmente com gordura vegetal saturada e carboidrato refinado. Outro detalhe importante é a prática de dieta fracionada seis vezes ao dia em pouca quantidade. Essa prática é mais saudável, pois nosso organismo, nosso projeto biológico se desenvolveu e se adaptou comendo poucas quantidades várias vezes ao dia.

Adversário decisivo da longevidade é o estresse. Os mamíferos mais tolerantes ao estresse apresentaram maior longevidade. Ou seja, devemos olhar os problemas com a dimensão ótima, com certo distanciamento, evitando o estresse ao máximo. Como se o problema fosse dos outros e não nosso. Isso vai ajudar na solução e evitará o estresse desnecessário, o envelhecimento.

É interessante a vivência no consultório, onde pessoas com problemas similares revelam abordagens e reações diferentes. Algumas, mais serenas;

outras, mais estressadas. Às vezes a situação é caótica e preciso entrar com medicação ansiolítica para, com serenidade, o paciente ter condições de alcançar a solução. A transferência geralmente é o principal fator nesse exagero de reação.

Outro fator decisivo na longevidade é a qualidade do sono. Quando não dormimos adequadamente, ou, pior, quando apresentamos apneia do sono, levando à oxigenação precária das células, ficamos em situação de estresse crônico e permanente. Nessa situação advêm alterações metabólicas, com aceleração do envelhecimento e diminuição da expectativa de vida.

As infecções crônicas, como sinusites ou foco infeccioso oculto nos dentes, isto é, os processos inflamatórios crônicos, são decisivas na geração de estresse contínuo. Portanto, também decisivas na saúde precária e na abreviação da longevidade do ser humano.

A atividade física moderada, ou melhor, o não sedentarismo, diminui o risco de doenças e aumenta a expectativa de vida. Isso ocorre pelo mesmo mecanismo do metabolismo do açúcar. Pois diminuem os níveis de insulina, com maior consumo de açúcar pelos músculos.

A humanidade tem mostrado um apetite voraz para consumir compostos e misturas rotuladas de suplemento nutricional, que escapam às leis governamentais de prescrição visando a retardar o envelhecimento. É o consumo excessivo das vitaminas associado a formulações milagrosas.

Infelizmente, nenhuma evidência existe de que qualquer um desses agentes pode retardar ou reverter o envelhecimento em humanos ou em modelos experimentais. O que muitas vezes acontece é uma inadequação do hábito nutricional.

No entanto, a reposição hormonal tem melhorado a qualidade de vida de alguns pacientes de meia-idade, com melhora da disposição, diminuição da gordura visceral (barriga e gordura localizada) e aumento da autoestima.

Um alerta importante: os hormônios devem ser utilizados com muito critério, pois não conhecemos os efeitos da sua utilização a médio prazo e muito menos a longo prazo. O principal receio é aumentar--se o risco do desenvolvimento de doenças malignas.

É curioso notar, com uma visão mais abrangente, que em pleno século XXI a ciência está constatando que para se viver com qualidade e longevidade basta seguir a cartilha da vovó: 1) dormir bem; 2) ter uma alimentação sadia, evitando alimentos industrializados com gorduras saturadas e carboidratos de rápida absorção (farináceos brancos e doces); 3) ter atividade física; e 4) evitar o consumo de substâncias tóxicas, como excesso de álcool, cigarros e drogas.

Quanto ao espírito, digo que a principal diferença entre o velho e o jovem é a capacidade infinita de sonhar... Certa vez, o jovem mais maduro que conheço, Oscar Niemeyer, disse: "A gente tem que sonhar, senão as coisas não acontecem". E mais: "Não é o ângulo reto que me atrai, nem a linha reta, dura, inflexível, criada pelo homem. O que me atrai é a curva livre e sensual, a curva que encontro nas montanhas do meu país, no curso sinuoso dos seus rios, nas ondas do mar, no corpo da mulher preferida. De curvas é feito todo o universo, o universo curvo de Einstein".

Portanto, mesmo aos quarenta, cinquenta ou aos cem anos, alimente-se de sonhos; o planeta é vasto e nele habitam milhões! Procure algo novo para sonhar e realizar. Explore o desconhecido e seja o que chamo de um "jovem maduro" aos cem anos! Acredito que o espírito jovem, por uma simples intenção e desejo, modula e organiza nossas moléculas para a saúde. É muito comum percebermos pessoas abatidas, envelhecidas com frustrações e enfim rejuvenescidas com a satisfação pessoal. É o desejo mais uma vez que revela a sua força.

Esquecendo um pouco a humanidade e analisando o indivíduo, pergunto: temos escolha em retardar o envelhecimento ou ainda a morte física? Alguns exemplos na minha clínica indicam-me que sim.

Aos 36 anos conheci o vovô Bologna, com seus incríveis 99 anos. Ele apresentava um coração doente, tomando tudo a que tinha direito para manter-se equilibrado. Acompanhei-o até os 106 anos, quando veio a falecer.

Internei-o várias vezes com insuficiência cardíaca em sete anos de atendimento. Curiosamente, em algumas internações, sempre utilizando o que tinha de mais moderno à disposição, eu observava uma variação na sua condição clínica, quase uma oscilação no seu estado de saúde, independentemente do tratamento ministrado, que era constante e intenso. Diante dessa situação, não sabia dizer à família se ele se recuperaria ou não. Pedia que aguardassem 48 horas para uma informação mais concreta, para a definição do caso.

Mais interessante ainda é que essa melhora ou piora estava sempre relacionada com a vontade de viver do sr. Bologna. Parecia que, aos 103 anos, ele podia escolher entre partir ou ficar mais um pouco. Quando eu o motivava, ou ele percebia quanto era querido pela família, sua condição de saúde melhorava dramaticamente.

Certa manhã recebi um telefonema de sua filha com o seguinte recado do sr. Bologna: "Ele mandou avisar que o senhor virá hoje assinar o papel". Perguntei: que papel? Ela disse: "O atestado de óbito, mas acho que é dengo, pois ele está ótimo!"

O fato é que o coração do sr. Bologna piorou muito e, seis horas depois do telefonema, lá estava eu assinando seu atestado de óbito. Incrível, não?

O sr. Bologna estava cansado da rotina, não via mais perspectiva e resolveu partir. É curioso que ele tenha me informado com seis horas de antecedência. Curioso que tenha pedido naquele dia seu prato preferido, antes de partir... Ele decidiu parar de lutar e se foi...

Outro caso interessante foi o do sr. Nilton, que era jovem mas estava com a imunidade muito comprometida. Apresentava pneumonia gravíssima, ficou internado dez dias e saiu curado.

Chamou-me a atenção o seguinte comentário desse paciente: "Sabe, doutor? Em determinado momento senti que se me entregasse eu ia embora".

Após vários casos como esses ao longo dos meus 24 anos clinicando, fiquei com a sensação e a certeza do poder da escolha. Esses pacientes tiveram, em determinadas circunstâncias, a opção de lutar pela vida e vencer. Isso independentemente da prescrição, do tratamento médico. Portanto, temos, sim, o poder, conforme a situação, de escolher entre a vida e a morte. Acredito que o que decide é o desejo de viver ou morrer.

Vida eterna existe? A consciência eterna... sim, penso eu. E tentarei explicar o inexplicável com pura especulação, pois não posso provar o modelo em que acredito...

Ora, várias pessoas têm a capacidade de realizar o desdobramento. Ou seja, ter a experiência consciente fora do corpo físico. Como mencionei, eu mesmo já vivi tal experiência algumas vezes... Se isso ocorre, por que precisamos do corpo para a nossa consciência individual existir? Acredito que nossa consciência deseja e escolhe a nossa próxima experiência. O interessante é que o grande médico e filósofo grego

Sócrates também acreditava na vida eterna da nossa alma. Relatava que nosso corpo era apenas um invólucro material. Dizem que, quando condenado à morte, foi pleno, feliz e confiante, pois, segundo ele, a alma é imortal.

Quem me garante que, ao morrer, não acordamos em outro universo, com outra consciência? Ao longo da minha carreira já conversei por mais de duas horas com mais de cinco mil pessoas. Fico com a sensação de que umas têm mais experiência espiritual que outras. O que quero dizer é que parece que algumas pessoas, mesmo cronologicamente jovens, têm mais conhecimento espiritual que outras cronologicamente mais velhas... Vejo isso quando converso com jovens de vinte anos extremamente maduros para a idade. Em geral eles sabem o que querem, não perdem tempo nem gastam energia comentando a vida de terceiros e são alheios ao julgamento externo. Vejo esse diferencial também nos idosos com atitudes otimistas, cheios de atividades e planos. Parece que são consciências que já experimentaram conscientemente outros universos. Seriam o que alguns denominam vidas passadas? Não sei dizer... Mas que existem diferenças de consciência entre as pessoas, isso com certeza existe... A consciência a que me refiro independe do nível cultural, social ou da idade biológica; é um "algo mais" que percebo em cada um. Por outro lado, atendo a alguns pacientes que há mais de doze anos reclamam que estão velhos... Curioso, não?

Certa vez li no jornal que cientistas do mundo inteiro se reuniram para discutir o propósito da vida. Após três dias de discussões, chegaram à seguinte conclusão: o propósito da vida é viver. Concordo com eles! O nosso papel é simplesmente viver a vida! É imaginar, criar, experimentar, é encher o universo de ideias; ideias a serem compartilhadas por tudo e por todos em um inconsciente coletivo.

Acredito que somos como sondas exploradoras unitárias constantemente gerando ideias, experiências e informações ao inconsciente coletivo. Cada nova experiência agrega à coletividade mais um conhecimento, acessível a tudo e a todos, em circunstâncias especiais, pois somos todos uma entidade única com um dinamismo plástico constante e infinito.

Acredito que os átomos são apenas a linguagem da imaginação. Por isso acho que, quando morremos, nos alçamos para outra consciência em outro universo paralelo, com outro corpo material, para uma nova jornada. O que descrevo é apenas um modelo, fruto da minha imaginação. Não espero que você aceite ou rejeite isto. É mais uma possibilidade entre infinitas. Pense a respeito.

Deus? Esse está muito acima de tudo... Ele criará, criou e cria tudo isto, deu-nos a opção da escolha e isso é maravilhoso. É divino!

# XII

# Motivação: a força motriz da alma

MOTIVAÇÃO É TUDO. Sem ela não sabemos para onde ir... não desejamos nada. Temos que criar a vontade, o desejo, um motivo para crescer, para fazer a nossa existência valer a pena. Isso pode começar com uma vontade simples, despretensiosa, que depois cresce até alcançar o centro mais profundo da nossa alma. A partir daí passamos a desejar. Quando motivados, quebramos barreiras antes intransponíveis. Basta nos motivarmos que tudo passa a ser possível. Todas as possibilidades se abrem. Entramos em sincronicidade com as leis do universo e as coincidências começam a surgir como mágica!

A próxima fase é: como, então, nos motivarmos? Como acharmos essa motivação, o motivo? Simples: basta desejar com emoção, com profundidade, com a alma.

Feche os olhos após um banho quente, o sexo, o exercício. Bem relaxado, pense em algo que nunca fez mas gostaria de fazer... Veja algo que seria interessante melhorar na sua vida, seja no campo afetivo, no profissional ou na saúde. Passe a fazer algo que lhe faça feliz. Esse é o caminho... Lembre-se daquilo que lhe traz paz, alegria. Pois, transcendendo os valores, só existe uma verdade a procurar. A que faz você sentir-se bem.

Certa vez, em 2007, o gênio Steve Jobs palestrou a formandos universitários de Stanford. Disse-lhes, em síntese: "Não importa se vocês estão ganhando dinheiro ou não em determinado momento, mas sim se estão felizes". Lembrou que, muitos anos antes dos computadores, fez um curso sobre diferentes fontes ortográficas – e o fez simplesmente porque gostava do assunto. Completou dizendo que esse curso lhe foi decisivo ao criar o computador Macintosh, com suas variedades de fontes ortográficas.

Concluiu aconselhando os formandos a "seguirem seu coração". Ele está certo. Conheço várias pessoas de sucesso e todas têm três características marcantes: 1) paixão pelo que fazem; 2) autoconfiança; 3) algum preparo técnico.

Esse preparo melhora de acordo com a necessidade, com a paixão pelo que fazem. Talento sem confiança, sem desejo e sem paixão significa pouco, muito pouco.

O excesso de comunicação e a falta de repouso cerebral, de paz mental, são os grandes inimigos da visualização e do relaxamento. Sem essas pausas mentais, ficamos à mercê do automático e da autopunição, dos modismos transitórios que raramente se identificam com nossa alma.

A falta de reflexão literalmente bloqueia as descobertas dos nossos sonhos, dos nossos desejos. O cérebro precisa de repouso. Chegamos a um ponto em que não dormimos, muitas vezes pela simples falta de controle dos pensamentos; é ansiedade pura. Porque o mundo hoje não ensina meditação na escola, mas competitividade a qualquer preço. Hoje precisamos estimular a criatividade, cada vez mais suprimida com a informação abundante e desordenada.

Por isso, insisto em técnicas de relaxamento. Procure desligar o celular dois dias da semana. Separe duas horas do dia para que o tempo seja 100% seu.

Pois não temos controle sobre o que queremos; aliás, ficamos sem saber o que realmente almejamos. A situação chegou a tal ponto que gerou alguns movimentos no mínimo curiosos. São esses, por exemplo, o *nadismo* e o que prega "um mundo livre de reclamações". O nadismo consiste basicamente em não fazer nada durante um tempo todos os dias, para aliviar as tensões. O criador teve essa ideia depois de uma exaustão provocada por estresse. Apesar de bizarro, o movimento foi um sucesso em Londres quando testado pela primeira vez. Parece absurdo, mas não é! É a simples necessidade que gera tais movimentos. Imagine se o nadismo teria o sucesso que tem hoje na Grécia antiga. É claro que não teria, pois os gregos atenienses ficavam simplesmente filosofando o dia inteiro, sem pressa...

    A necessidade é tão forte, hoje, que o fundador do nadismo tem inúmeros adeptos. Desperta o interesse da mídia, fazendo com que seu criador seja solicitado para entrevistas, como no programa de Jô Soares da Rede Globo.

    No entanto, o que sugiro não é o nadismo – é, sim, fazer algo de que se goste, algo que dê prazer a quem o faz. Pois devemos tomar cuidado com o nadismo. Ócio é para os que são muito ricos de espírito; caso contrário, é uma baita fonte de estresse! Talvez o nadismo seja útil para os extremamente estressados que precisam de uma pausa para decidir o que lhes dá prazer...

Já o site **www.acomplaintfreeworld.org** é visitado diariamente por milhares de pessoas. Prega a não reclamação com muita atitude. Estimula um desejo livre de reclamações e cheio de intenções resolutivas. O site já vendeu mais de seis milhões de braceletes.

Outro movimento interessante é o "Doutores da alegria". Esses doutores fazem palhaçadas para crianças doentes e alcançam resultados surpreendentes.

Todos esses movimentos são consequências da necessidade de humanização, de retorno às nossas raízes. A humanidade está ávida de mudanças de atitude, de soluções para as suas angústias causadas pela avalanche de tecnologia e informação; está carente de afetividade e tempo para a reflexão, pura e simplesmente.

Quando o desejo vem, temos um motivo, uma motivação. A partir daí acontecem as mágicas.

Vocês achariam um milagre alguém com obesidade mórbida perder 50 kg em seis meses apenas por meio de dieta saudável e exercícios balanceados? Difícil, não é? Mas pelo menos cinco gordos desejaram. Após o desejo apareceu a motivação num *reality show* que oferecia um milhão de dólares para quem emagrecesse primeiro. Motivados pelo milhão, os cinco gordos realizaram o milagre. O que veio primeiro: o desejo ou a motivação para emagrecer? Por questão de coerência e experiência própria, digo que o desejo deles criou algo fantástico como esse *reality show*... O *show* foi apenas o instrumento que o universo encontrou para materializar seu desejo.

Portanto, procure relaxar diariamente, descubra o que o faz feliz, ignore o julgamento alheio, siga o seu coração. Descubra o que serve e o que não serve para você. Separe dez minutos do seu dia para seus desejos, seus sonhos. Enxergue-os já realizados. O motivo, a motivação vai surgir e, numa sincronicidade incrível, o universo vai criar coincidências que explicarão a materialização na visão dos mais céticos. Simplesmente relaxe, visualize e constate...

# XIII

# O poder da visualização

Um dos fenômenos que mais me fascinam nesta vida é a experiência mágica que tenho com a visualização dos meus desejos. Isso ocorre comigo desde criança. O interessante é que a materialização ocorre independentemente da magnitude do desejo, que pode ser desde marcar um golaço em um bate-bola no sábado até o sucesso profissional. Isso é o que menos importa. O que vale é o quanto desejamos, livre de julgamento... Basta apenas, quando bem relaxados, visualizarmos as metas acontecendo e se materializando.

Faz tempo que a visualização é utilizada pelo homem. Povos antigos, inclusive os egípcios, desenhavam suas vitórias na caça e na pesca, acreditando que isso lhes garantiria o sucesso e a fartura, segundo a teoria dos historiadores modernos.

Quando se fala em visualização, fica impossível não mencionar a neurolinguística, que cada vez mais fascina seus praticantes com resultados incontestáveis em todos os campos, desde a saúde até o sucesso social. Segundo o dr. Estevão Bettencourt, a neurolinguística parte do princípio de que o comportamento do ser humano é dependente do pensamento e das emoções. Assim, ela ensina a programar pensamentos e sentimentos de tal modo que redundem no comportamento desejado pelo indivíduo. Simplificando, o resultado é consequência da introspecção com relaxamento e da visualização das suas metas.

A realidade virtual é outra evidência do poder da visualização. Recentemente, essa tecnologia tem apresentado um poder de realização incrível. Experimentos científicos vêm demonstrando resultados fantásticos no tratamento das fobias. Pessoas com medo de altura ou de avião perdem isso completamente por meio de exercícios graduais de visualização que simulam a condição com realidade virtual.

Eu mesmo, nas horas vagas da faculdade de Medicina, testemunhei a materialização depois de utilizar muitas vezes a realidade virtual em um videogame de futebol. Na época o jogo era limitado tecnicamente, se comparado ao que existe hoje. Por isso só havia uma possibilidade de marcar gol: o jogador fazia um corte para dentro e chutava de perna esquerda no ângulo. Eu jogava todos os dias o videogame e uma vez por semana o futebol de campo no Clube Atlético Paulistano. O fato é que, com uma semana de treinamento virtual, marquei no campo um golaço, totalmente contrário às minhas características e idêntico ao gol do videogame. Detalhe: sou destro e marquei o gol com a perna esquerda, que nunca foi o meu forte. Lembro-me como se fosse hoje dos comentários sobre o meu gol, chamado de "espírita"!

Outro caso que retrata bem o poder da imaginação e que me marcou no consultório foi o do filho do meu paciente Jean. Era uma criança com diagnóstico de leucemia. Além do tratamento adequado prescrito pelos médicos, os pais do menino tiveram a ideia de colocar um calendário ao lado da sua cama. No calendário programaram com o filho todas as atividades do ano, desde visitar os avós até ir ao Walt Disney World. O fato é que o garoto estava sempre imaginando, visualizando as mais diversas atividades nos meses subsequentes. Ele respondeu bem ao tratamento nesse ano programado e curou–se.

Não posso provar, mas tenho certeza de que a técnica criativa do calendário foi coadjuvante e importante no resultado do tratamento.

Um experimento fantástico que demonstra com clareza a influência da visualização é o do anteparo que projeta a letra A. O experimento consiste em apertar um botão que registra a letra A ou B de maneira randômica; isto é, em condições normais, a cada cem registros constatamos 50% para a letra A e 50% para a letra B. Similar ao que observamos com a cara e a coroa da moeda. Agora, quando projetamos a letra A para um observador apertar o botão do aparelho, vemos um número bem maior de registros com a letra A, contrariamente ao esperado se o pensamento do observador não tivesse nenhuma influência. Essa experiência comprova de maneira incontestável que a visualização do observador influi no resultado dos registros, na materialização, na experiência a ser vivida.

Portanto, pesquise técnicas de relaxamento e visualização e escolha aquela que mais agrade. Você pode visualizar no banho, ao acordar, antes de dormir, depois do sexo ou até numa corrida despretensiosa. Não existe hora ou local, qualquer hora é hora, qualquer lugar é lugar.

# XIV

# Pratique e constate

UM DOS MEUS OBJETIVOS com este livro, senão o principal, é que não seja apenas mais uma obra de autoajuda com belos textos, mas sim um instrumento, uma ferramenta que indique métodos práticos para a materialização dos nossos desejos. Existem várias técnicas disponíveis e sites de cursos. A ioga com meditação, o Silva method, com sua dinâmica de reflexão, a neurolinguística, entre outras. É fundamental constatar que todas as técnicas estão fundamentadas no controle da respiração e na consciência do corpo. Entendo que a respiração tem papel fundamental no desenvolvimento das técnicas de relaxamento, por ser a única função automática e voluntária. Portanto, é o ponto de comunicação com o automático, quando treinamos o autocontrole. Ao controlar a respiração, nós conseguimos relaxar e alcançar o estado ideal para visualizar as metas pretendidas.

Seguem algumas dicas para manter a saúde ótima, com o espírito e a autoestima em alta:

**1.** Muitas vezes, o paciente vem extremamente estressado ao consultório. Pergunto-lhe: há quanto tempo não faz algo de que goste? É comum ele não se lembrar. Digo-lhe: *faça mais vezes o que gosta de fazer*. Ao agir assim, estamos nos agradando e melhorando a autoestima, dizendo para nós mesmos que nos amamos. Exemplos: a prática de um esporte preferido, o *happy hour* com uma pessoa de que gostamos e não vemos há algum tempo. No esporte, o exercício regular estimula a liberação de endorfinas, substâncias com poder antidepressivo que dão a sensação salutar de bem-estar e equilíbrio. No *happy hour* amigo, inevitavelmente damos boas risadas. Estudos sobre a atividade cerebral revelaram que a risada é a única emoção em que todo o cérebro é estimulado. Outros estudos indicaram que as pessoas alegres correm menos risco de desenvolver doenças cardíacas ou câncer.

**2.** Na maioria das vezes, o motivo da insatisfação é um sentimento de culpa ou de fracasso. Portanto, lembre-se de que não existe fracasso nem sucesso, mas sim experiência e aprendizado. Independente da emoção trazida pela experiência – tristeza ou alegria (no sucesso) –, devemos ponderar friamente o que aprendemos. Com essa visão sairemos sempre mais fortalecidos para as próximas experiências. Afinal, qual é o propósito desta vida? Não é viver e aprender? Ou, ainda, não é a vida, em si mesma, uma grande lição? Portanto, *perdoe-se sempre.*

**3.** Às vezes o paciente entra num ciclo de pensamentos pessimistas e sem objetividade. Isso "trava" toda ideia ou toda chance de desenvolvimento. Portanto, encha a mente de pensamentos positivos e relaxe. *Visualize suas metas concretizadas.* Procure conversar com alguém otimista ou até mesmo com um profissional.

**4.** Canso de ouvir as pessoas reclamarem da falta de diálogo. O que observo é que, mais importante do que o diálogo, é a falta de conversa consigo mesmo. Pergunte sempre a você mesmo: quais são minhas aspirações? Meus projetos profissionais? Como anda meu lado afetivo? Conscientize-se daquilo que serve para você e daquilo que não serve. Caso não saiba o que quer, lembre-se de um dia em que acordou de bom humor. Pergunte-se por que estava de bom humor naquele dia. É desse modo que vamos nos conhecendo e vivendo, sem desperdiçar um só segundo da vida. Bom momento para essa conversa é após o banho, o sexo, o esporte ou a sauna. Portanto, *converse consigo mesmo diariamente*, sem culpa ou autopunição.

**5.** Outra causa comum de insatisfação é o complexo de inferioridade, ou ainda o de superioridade. Tal sensação literalmente "empaca" o indivíduo em relação a qualquer tipo de atividade ou atitude diante da vida. Isso gera uma avalanche de pensamentos pessimistas, num rodamoinho sem fim. O que temos de entender é que ninguém é melhor ou pior do que ninguém. Imaginemos que um avião, com o Senado inteiro e o presidente dos Estados Unidos, mais um índio amazonense, caia no meio da floresta amazônica. Quem vai liderar a população sobrevivente? O poderoso presidente? É claro que, com todo o conhecimento, o índio é que vai liderar os sobreviventes. Um lixeiro, um marceneiro, um médico têm muito o que ensinar a um banqueiro ou ao presidente da República. A questão a discutir não é se somos piores ou melhores, mas o que queremos aprender nas diferentes fases da nossa vida. O fato é que *todos sempre têm algo a nos ensinar, e vice-versa.* Com essa postura, jamais pisaremos em alguém ou nos sentiremos menos que alguém.

**6.** *Ame-se de paixão.* Muitas vezes estamos com a autoestima tão abalada que não conseguimos gostar de nós mesmos. Diante dessa situação, sugiro a você que se lembre de um momento em que se sentiu orgulhoso de si mesmo, num dia vitorioso. Alimente essas ideias no seu interior, e então será muito mais fácil se amar.

**7.** Durma bem. Vários estudos mostram que distúrbios do sono estão associados ao envelhecimento precoce, à fibromialgia, à fadiga crônica e à síndrome do pânico, entre outras condições limitantes. Na maioria das vezes o paciente não consegue se desligar dos pensamentos diários, das responsabilidades do cotidiano. Como lidar com isso? Após um banho, deite-se, tome dez respirações profundas e transporte-se mentalmente para um lugar agradável onde você foi vitorioso (esporte, sexo, profissão). A partir desse ponto, diga para si mesmo que quer ter uma noite de sono agradável e saudável. E que quer desligar--se dos problemas durante o sono. Diga ainda que quer acordar com soluções. Isso geralmente funciona. *Lembre-se de se espreguiçar bem antes de levantar* (como os animais). Se o problema persistir, procure o médico da sua confiança.

# XV

# A conscientização de que nós podemos

ACHO IMPORTANTE REAFIRMAR que tenho o objetivo de gerar, de estimular a conscientização de que temos influência direta na criação das nossas realidades, nas nossas vidas, no nosso dia a dia. Tenho a ambição de criar uma onda, um movimento baseado no desejo com materialização. Para que isso ocorra, só preciso incentivar a prática de relaxamento, introspecção e visualização. É aí que entra nosso poder de visualizar com a mente o que desejamos.

A partir daí, com a constatação, espero impulsionar automaticamente a conscientização em cadeia das peças de dominó que se põem em movimento. Tendo em vista amplificar, oferecer ferramentas e auxílio para a conscientização, estou criando o site **www.desejologorealizo.com.br**, em que desenvolverei e descreverei técnicas de introspecção e visualização.

Portanto, leia, pesquise e descubra a técnica que mais lhe agrada. Depois, pratique e constate você mesmo.

# Palavras do artista

por Antonio Peticov

FUI APRESENTADO AO DR. ZEBALLOS por uma aluna, o que aparentemente foi desnecessário, pois ao entrar em seu consultório me deparei com um de meus melhores pôsteres emoldurado em sua parede.

A nossa empatia foi imediata e, como era de se esperar, nos tornamos ótimos amigos, pois descobrimos afinidades que transcendem a medicina e as artes visuais.

Cada visita minha ao seu consultório era enriquecida com bate-papos deliciosos que nunca me impediram de constatar que a extrema perícia desse médico, oriunda de estudos constantes, não impediam que a sua amabilidade e gentileza tornassem suas consultas uma experiência contagiante e positiva, determinante para o sucesso delas.

Foi com alegria e entusiasmo que acompanhei a criação deste livro, cujo texto sugeria, a cada página, que eu contribuísse com imagens de minhas telas, pois não raro descobria afinidades entre minhas propostas visuais e suas ideias sobre a medicina preventiva . Dentre as mais de oitocentas imagens que disponibilizei o dr. Zeballos escolheu as 14 que ilustram este livro, sobre as quais ele comenta as suas impressões pessoais em relação a cada uma dessas minhas pinturas.

É portanto com imenso prazer que cedo estas poucas imagens que, espero, proporcionem uma leitura mais ampla do texto.

Representa o retorno da consciência
ao seu organismo.

*Morning walk - grafite e pastel sobre papel | 70 x 100 cm | 1981*

Retrata a transição tranquila que minha paciente experimentou. A linda paisagem representa seu último ano antes de morrer, um período em que viveu intensamente.

*The link - tinta acrílica sobre tela | 140 x 150 cm | 1977*

Acho lindos os picos nevados; essa experiência só é possível graças à visão que nosso organismo proporciona.

*Love supreme – tinta acrílica sobre tela | 140 x 150 cm | 1974*

Fernanda já estava na transição da vida para a morte, estava quase do outro lado. Mas seu filho a motivou a voltar para a vida. Gostei da ilustração, pois interpreto a porta como a vida ao lado do filho que esperava por ela.

*The door - tinta acrílica sobre tela | 100 x 120 cm | 1975*

Demonstra as opções, as escolhas dos caminhos, que dependem apenas de nós. Mais ainda, sejam quais forem os caminhos escolhidos, sempre experimentaremos e chegaremos a algo. Neles não existe julgamento. Isso é lindo!

*Crossroads - tinta acrílica sobre tela | 70 x 100 cm | 1986*

Simboliza o que temos de melhor ao lado do que temos de pior, representado pelo escuro. No meu entender, o escuro é a culpa consequente ao julgamento indevido; a culpa gera intenções punitivas, materializando o sofrimento.

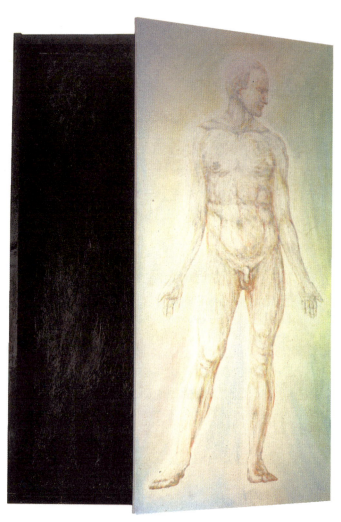

*The fight - tinta acrílica sobre tela | 189 x 135 x 35 cm | 1987*

Remete ao conceito da materialização das nossas ideias no cosmo. Representa o todo no meio do nada: as ideias do inconsciente coletivo simultaneamente agrupadas, acima do tempo e do espaço.
Pois acredito que os átomos são apenas a linguagem da imaginação.

*The great revision - tinta acrílica sobre tela | 93 x 150 cm | 1982*

A energia focada emanando do centro e levando as cores vivas, que no meu entender significam a materialização dos nossos desejos.

*Cosmic consciousness – tinta acrílica sobre tela | 120 x 80 cm | 1973*

Ilustra muito bem o sistema energético que imagino.

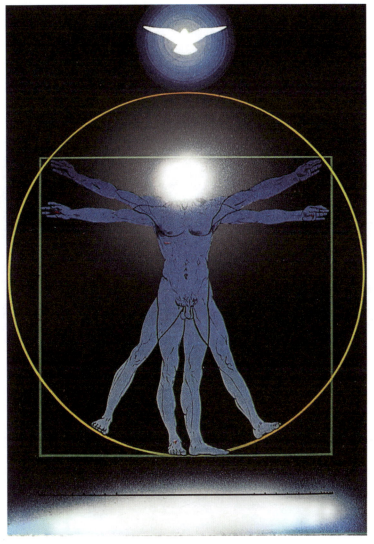

*Jesus – Homo Perfectus - tinta acrílica sobre tela | 150 x 100 cm | 1972*

Representa as coincidências dos diferentes
símbolos ocorrendo simultaneamente,
com o planeta Terra no centro.

*The breath – tinta acrílica sobre tela | 160 cm ø | 1988*

As cores representam as diferentes intenções do coletivo gerando a materialização que acontece ao atravessarmos a janela.

Looking back - tinta acrílica sobre tela | 50 x 80 cm | 1982

A rotina, a meu ver, está representada pela janela escura. Já a paisagem é a nova experiência sempre à nossa espera. Portanto, mergulhe na paisagem e viva a vida, deixe a rotina para trás.

*The trip – tinta acrílica sobre tela | 80 x 100 cm | 1982*

Relaxe, visualize e constate.
Vá atrás do seu arco-íris.

*Night fall - tinta acrílica sobre tela | 150 x 100 cm | 1980*

*Encaro com imenso prazer e agradecimento a Deus a oportunidade que tive de conhecer o dr. Zeballos. Ele já atendia a minha ex-sogra quando o conheci – levei um susto, porque esperava conhecer um senhor de cabelos brancos, pelo que minha ex-sogra falava sobre como ele a tratava. Pelas minhas viagens através do futebol, conheci diferentes culturas, crenças e filosofias de vida. É com sabedoria, amor e profissionalismo que ele transmite um pouco de tudo isso, e por essa razão ele se tornou o meu clínico geral.*
**Edson Arantes do Nascimento, Pelé**

Desejo, logo realizo *não só reflete o médico que todos almejam ter, mas nos apresenta ao homem por trás do vasto conhecimento empírico. A cura ultrapassa os domínios acadêmicos, e seus mistérios estão aqui descritos de forma sincera e objetiva. Nosso mundo espiritual e mental é abordado de maneira categórica, não deixando dúvidas sobre sua força nos processos de restabelecimento da saúde. dr. Zeballos reúne a psique do médico e do mago.*
**Carol Civita**

*Por mais de dez anos, como amigo e paciente do dr. Zeballos, várias vezes discutimos a profunda relação entre corpo, mente e espírito. Nossas boa discussões tinham como ponto em comum que atitude mental e espiritual positiva sempre tiveram grandes benefícios à saúde física, e a recíproca é também verdadeira.
Parabenizo o amigo Zeballos por seu livro e por contribuir para a demonstração de que atitude mental confiante,*

*com fé, e a limpeza de espírito são caminhos não apenas para a saúde, mas para a realização e a materialização de nossos sonhos e pensamentos.*
**Carlos Gerdau Johannpeter**

*Todo o vastíssimo conhecimento técnico do Zeballos não seria nada se não viesse acompanhado dessa capacidade imbatível de levantar seus clientes, com sua fé, seu humanismo. Deus o proteja.*
**Braguinha**

*Roberto Zeballos me recebe com os braços abertos, me aperta com forte abraço, e eu sinto que uma energia me envolve. Ele fala com paixão sobre a vida, o significado de estarmos aqui, examinando meu corpo enquanto está atento ao que ocorre na mente.*
**Naum Alves de Souza**

*O sorriso de meu amigo Roberto Zeballos é um remédio que nenhum laboratório poderia desenvolver. Ligo sempre para ele a fim de absorver, em sua alegria, um pouco desse seu dom curativo, que poderia resumir aqui em uma palavra: amor. Amor pela vida, pelas pessoas, e por essa opção profissional tão difícil e crucial.*
**Paulo Ricardo**

*Zeballos vai muito além da prática da medicina moderna. Na maioria das vezes ele consegue organizar o melhor remédio para o ser humano, isto é, elevar sua autoestima, usando com maestria sua arte de contar histórias.*
**Luiz Tripolli**

Este livro, composto na fonte
Corporate, foi impresso na **Gráfica
Pifferprint** em papel offset 90 g/m².